Psicología Pastoral
para la
Familia

Jorge A. León

Psicología Pastoral para la Familia

Jorge A. León

CARIBE

Un Sello de Editorial Caribe

Betania es un sello de Editorial Caribe,
Una división de Thomas Nelson, Inc.
© 1998 **EDITORIAL CARIBE**
Nashville, TN – Miami, FL

www.editorialcaribe.com

ISBN: 0-89922-426-1

Impreso en EE.UU.
Printed in U.S.A.

CONTENIDO

1. La familia de Jesús: Nuestro modelo 9

2. El matrimonio hoy 27

3. La sexualidad humana 47

4. El matrimonio y las estructuras familiares 69

5. El asesoramiento pastoral a la pareja 93

6. La función materna y la salud de los hijos 111

7. La función paterna y la salud de los hijos 135

8. Las necesidades fundamentales de los niños 155

9. La pastoral del adolescente y de sus padres 175

10. Algunas pautas pastorales para la educación
    cristiana de los hijos 195

11. La pastoral del aborto 211

12. La función del pastor en el cuidado pastoral
    de la familia 231

    El autor 249

1

La familia de Jesús: Nuestro modelo

Si ponemos la mira en la familia de hoy, lo histórico como interpretación descriptiva del accionar humano en su diacronía, en mi opinión, pasa a un segundo plano por una razón muy sencilla: En la geografía de un país pueden convivir simultáneamente largos períodos de historia de la humanidad. Supongo que el estilo de vida familiar característico de la ciudad de Viña del Mar, no es el mismo que el de una provincia lejana. Esta realidad la vemos con mayor claridad en un país como Brasil, donde encontramos varios siglos de diferencia histórica entre la población de São Paulo o Río de Janeiro y los habitantes del corazón de la selva amazónica. Aun en una ciudad como Buenos Aires encontramos padres que viven, y pretenden hacer vivir a sus hijos, según el estilo de vida de cuando ellos eran jóvenes. Luego, al referirnos a la familia hoy, no debemos suponer que existe uniformidad histórica en los habitantes del planeta en los distintos momentos de la humanidad, y mucho menos en las postrimerías del siglo veinte.

Es imposible equiparar a todos los seres humanos en una misma historia. En otras palabras, no podemos hacer con el hombre lo mismo que con la leche: Homogeneizarlo y pasteurizarlo. Cada ser humano tiene su historia particular porque nace en una familia con cierto nivel de salud o enfermedad mental, espiritual y física. El recién nacido tendrá la oportunidad de desarrollarse según el modelo de salud o de enfermedad de sus progenitores. Hay funciones específicas que debe cumplir tanto el padre como la madre. En los primeros años de vida se estructura lo que será cada sujeto. Una vez logradas las estructuras singulares, cada sujeto, inconscientemente, habrá estereotipado su estilo de vida, que lo conducirá a la repetición de determinado tipo de conducta. A menos que Dios haga un milagro.

¿Es posible tomar una familia del primer siglo como modelo para nuestra familia? Esta pregunta es tan compleja como esta otra, ¿en qué se parece un oso polar a una ballena? Hay muchas diferencias entre el oso polar y la ballena; pero hay dos cosas en que se parecen. Los dos animales son mamíferos y los dos viven en el mismo clima. La segunda cuestión es lo que más me interesa. Sabemos que el tiempo es un vector irreversible; no vuelve atrás. Sería absurdo que pretendiéramos vivir hoy como en el primer siglo. Pero hay un clima que hace posible la unión entre el hogar de Jesús y el nuestro. Ese clima lo describe San Pablo en los siguientes términos: «Y ahora permanecen la fe, la esperanza y el amor, estos tres; pero el mayor de ellos es el amor» (1 Corintios 13.13). Trataré de mostrar ese clima mediante estas reflexiones.

Por otro lado, aunque lográramos traducir el modelo de familia de Jesús a nuestros días habría una pregunta de rigor: ¿A qué sociedad sería aplicable ese modelo? La diversidad de las familias latinoamericanas nos pone en dificultades. La familia cristiana no se expresa de la misma manera en un país que en otro. Tampoco es lo mismo la familia en una ciudad como Buenos Aires, que en una provincia como Catamarca o Jujuy. No es lo mismo en una ciudad de cualquier país que en las zonas rurales de la misma nación. Pero esperamos lograr un objetivo, encontrar el clima bíblico aplicable a todas las familias cristianas en todas partes.

¿Qué entendemos por familia cristiana?

Para añadir el adjetivo «cristiana» a una familia, es necesario definir qué entendemos por ser cristiano. Para ello vamos a partir de lo más simple para arribar a lo más complejo. Definamos qué quiere decir ser argentino o chileno, para después entender lo que significa ser cristiano. Ser argentino, o chileno es básicamente un sentimiento, una certeza de pertenencia, una identidad gratificante aun con cierto orgullo de ser lo que se es; también significa sentirse parte de un pueblo y respetar los símbolos que lo representan. Al mismo tiempo significa tener una serie de deberes y de derechos que tiene esa nacionalidad. Ser cristiano significa ser nacido en Cristo, nacido de nuevo para la gloria de Dios y bendición de otros. Veamos la posibilidad de encontrar el modelo de madre, padre e hijo, en el hogar de Jesús.

María como modelo de madre

Todos los nombres tienen su significado. María es un nombre que nos dice mucho acerca de Dios. María significa: «La que ama a Dios».[1] María representa un sentimiento, el más grande, el amor.

María: La amada de Dios, la elegida

Conocí a una persona que se llamaba Justo. Pero no merecía ese nombre, porque era muy injusto. Aunque no siempre es así, muchas personas están marcadas por el significado de sus nombres; ese es el caso de María. Uno tiene el derecho a preguntarse: ¿Qué tenían en mente los padres de María, y también los del hombre injusto, cuando escogieron los nombres para sus hijos? Ciertamente hay una intencionalidad, un deseo, que se expresa en el nombre que se le da a un hijo. Los deseos de los padres de María eran los mejores, deseaban que su hija amara a Dios, y que fuera amada por Él. Lo lograron, porque el Señor la escogió para que fuera la madre del Redentor.

La anunciación es la notificación a María de que Dios le ha conferido la gracia y la bendición de escogerla como madre del Mesías. El ángel Gabriel le comunica algo muy importante:

> El Espíritu Santo vendrá sobre ti, y el poder del Altísimo te cubrirá con su sombra; por lo cual también el Santo Ser que nacerá, será llamado Hijo de Dios. (Lucas 1.35)

Al enterarse de que la encarnación del Hijo de Dios vendría mediante una concepción virginal, María expresa su conformidad con la voluntad divina (Lucas 1.38), actitud típica de profetas y siervos de Dios a través de la historia de Israel.

El parentesco de María con Isabel podría indicar que la Madre de Jesús era del linaje aarónico (levítico), o sea, de la casta sacerdotal. En Lucas 1.36 se dice que Isabel pertenece a la familia de María y en Lucas 1.5 se nos informa que Isabel era una de las hijas de Aarón.

La canción espiritual con la que María responde a la salutación de su prima Isabel, que aparece en Lucas 1.46-55, se conoce con el nombre de MAGNIFICAT. ¿Por qué? Porque cuando San Jerónimo tradujo la Biblia al latín, versión conocida con el nombre de Vulgata, el himno compuesto por María, en latín, comienza así: *Magnificat anima mea Dominum.* Es decir: «Engrandece mi alma al Señor» (Lucas 1.46). Parece que María tenía un gran conocimiento bíblico que le permitió componer el sublime Magnificat en un momento de exaltación espiritual.

María improvisa su canción según la forma clásica de un Salmo de acción de gracias, sirviéndose de los temas tradicionales del salterio. Canta alegremente un hecho nuevo; el Reino está presente en el fruto de su vientre. En el Magnificat, su canción, se orienta hacia el testimonio personal y la gratitud a Dios por haberla hecho objeto de tal bendición. El Señor dice que Él ha hecho grandes cosas por ella, pero no dice cuáles son esas grandes cosas. Uno puede suponerlas; quizás eso es lo que desea que hagamos. Esas grandes cosas son las que conservó en sus recuerdos meditándolas en su corazón, como lo registra San Lucas (cf. Lucas 2.19,51.)

El canto de alabanza que María eleva al Señor pone de manifiesto el conocimiento que tenía de las Escrituras. De ella seguramente Jesús recibió su primera instrucción bíblica. Se puede suponer que los conocimientos bíblicos de María fueron adquiridos durante los años que pasó en el templo de Jerusalén cuidando de su limpieza. Diríamos que la virgen María fue «guardatemplo». Guarda del templo, que su Hijo diría había sido convertido, por los dirigentes religiosos, en cueva de ladrones. Al estar en el templo María debió escuchar constantemente la lectura de los textos sagrados y las explicaciones que sobre ellos ofrecían los rabinos.

¿Qué significado teológico tiene para nosotros la virgen María? Muchas y variadas son las opiniones. Realmente son pocos los púlpitos protestantes que se ocupan de ella. Pero no debemos dejarla de lado, como erróneamente hacen muchos, si queremos presentarla como modelo de madre para todas las familias cristianas.

Un teólogo protestante de nuestro siglo, el Dr. Von Allmen, le ha dado un título singular, la ha llamado «la contrabandista del cielo».[2] Con esta expresión este teólogo quiere decir que María usó su vientre para contrabandear entre el cielo y la tierra. Dicho de otra manera: Sin pasar por la aduana de la razón, María es el medio escogido por Dios para la encarnación de su Hijo. Encarnación que hace posible la salvación de todos los que aceptamos a Jesucristo como nuestro Salvador personal. Luego la virgen madre juega un papel muy importante en el plan de salvación de Dios. Si somos fieles al Señor no podemos escamotearle el lugar que le corresponde a su madre terrenal, a la luz de los Evangelios.

Un teólogo del primer siglo, San Lucas, nos ofrece el maravilloso texto del cual tomamos los siguientes elementos:

- Un ángel se acerca a María y le dice: «¡Salve, muy favorecida! El Señor es contigo; bendita tú entre las mujeres» (San Lucas 1.28). Según el teólogo Von Allmen, «esta afirmación la hace incomparable con cualquier otra mujer y su vocación es única e irrepetible».[3]
- Estas afirmaciones son reiteradas más adelante, en San Lucas 1.41,42. Cuando María va a visitar a Elisabet, la criatura de esta saltó en el vientre y dice el Evangelio: «Y Elisabet fue llena del Espíritu Santo, y exclamó a gran voz, y dijo: Bendita tú entre las mujeres, y bendito el fruto de tu vientre». Esta bendición, dice Von Allmen, «no es porque va a ser madre, ni siquiera por ser el modelo de maternidad, sino porque va a ser la madre del Hijo Eterno de Dios y asegura su encarnación».[4]
- No obstante, la madre de Jesús aparece en los Evangelios con tal discreción y humildad que nos hace pensar que

podría haber dicho como Juan el Bautista: «Es necesario que él crezca pero que yo mengüe» (Juan 3.30).

- San Lucas subraya la sumisión de María ante el Señor. «Entonces María dijo: He aquí la sierva del Señor; hágase conmigo conforme a tu palabra» (Lucas 1.38). San Mateo señala que María fue fiel al Señor aun cuando tuvo que poner en juego su reputación. (Sugiero leer San Mateo 1.19 y los versículos siguientes.) Para María era más importante su fidelidad a Dios que el «qué dirán».

- Dos veces en el capítulo dos de su Evangelio, San Lucas nos sugiere que María pensaba, sin cesar, en el acontecimiento misterioso del que fue protagonista. Ella conservaba esos recuerdos «meditándolos en su corazón». En 2.19 se refiere a la visita de los pastores. En 2.51 se trata de su meditación sobre la acción de Jesús a los doce años.

El significado de María para nosotros hoy

No debemos escamotearle a María el lugar que Dios nuestro Señor quiso otorgarle en su plan de salvación, que tiene como destinatario al hombre perdido en el pecado. Los autores bíblicos no nos dicen mucho acerca de ella. Pero hay tres factores que parecen muy relevantes:

- Su disponibilidad a hacer la voluntad de Dios sin importarle los riesgos que corría. En esto es un ejemplo para todos los cristianos, que no siempre estamos dispuestos a obedecer la Palabra de Dios.
- Su presencia en el Calvario cuando muchos de los seguidores del Maestro habían escapado por temor. María mantuvo hasta el final y sin medir las consecuencias su fidelidad a Dios y el amor por su Hijo. Es en el peligro donde se pone a prueba nuestra fe.

- Su presencia en el aposento alto en ferviente oración junto a los apóstoles, siguiendo las órdenes del Señor de que esperaran la llegada del Espíritu Santo.

En Hechos 1.14, Lucas nos dice: «Todos estos perseveraban unánimes en oración y ruego, con las mujeres, y con María la madre de Jesús, y con sus hermanos». ¡Cuánto necesita la iglesia de hoy de más oración! Aquí María nos da otro ejemplo como mujer de oración. Ejemplo digno de imitarse.

¿Por qué no imitar a María como «contrabandista del cielo» como la llamó Von Allmen? ¿Ha pensado, hermano lector, que cada vez que usted presente a Cristo a un amigo está trayendo de contrabando algo celestial? La tarea de la iglesia, la fundamental, es trabajar para que se haga la voluntad de Dios, «como en el Cielo así también en la tierra». Esa es una tarea insoslayable para todo cristiano.

José como modelo de padre

El nombre «José» significa: «Aquel a quien Dios ayuda».[5] Realmente Dios lo ayudó, y él fue una valiosa ayuda para Dios. Me parece que podemos conocer mejor a José si lo comparamos con otro padre ilustre, Zacarías, el padre de Juan el Bautista. Zacarías significa: «Dios se acordó».[6] Este es también un nombre bien puesto, porque Dios no lo puso en el olvido. Juan el Bautista y Jesús están íntimamente relacionados; igual lo están sus respectivos padres: Zacarías y José.

San Lucas coloca el anuncio del nacimiento de Juan el Bautista antes del de Jesús. ¿Cuál es la razón? Realmente no lo sabemos. El anuncio del nacimiento de Juan se hace a su padre mientras ejercía como sacerdote en el templo. El de Jesús se hace a una laica, a su madre María. Creo que sería bueno y sobre todo muy edificante para la vida espiritual de cada lector, que analice cuidadosamente, y medite versículo a versículo, los dos primeros capítulos del Evangelio de nuestro Señor según San Lucas.

San Lucas se refiere muy poco a José. San Mateo se ocupa de él. Nos dice: «Y Jacob engendró a José, marido de María, de la cual nació Jesús, llamado el Cristo» (Mateo 1.16).

En la genealogía de San Mateo, José aparece como un descendiente del rey David. El Evangelio comienza con estas palabras: «Libro de la genealogía de Jesucristo, hijo de David, hijo de Abraham» (Mateo 1.1). José era laico; Zacarías era sacerdote. La revelación le viene al sacerdote cuando estaba cumpliendo sus funciones en el templo; el laico, la recibe mientras dormía. Dice el santo Evangelio:

> José su marido, como era justo, y no quería infamarla, quiso dejarla secretamente. Y pensando él en esto, he aquí un ángel del Señor le apareció en sueños y le dijo: José, hijo de David, no temas recibir a María tu mujer, porque lo que en ella es engendrado, del Espíritu Santo es. Y dará a luz un hijo, y llamarás su nombre Jesús, porque él salvará a su pueblo de sus pecados. (Mateo 1.19-21)

José, el laico, actuó con la misma sencillez, humildad y fe que vimos en María. La duda no entró en el corazón de este hombre de Dios que no era sacerdote y responde a Dios con fe a pesar de que solo había tenido un sueño. Dice el Evangelio: «Y despertando José del sueño, hizo como el ángel del Señor le había mandado, y recibió a su mujer» (Mateo 1.24).

Otra es la historia del sacerdote, padre de Juan el Bautista. San Lucas nos presenta a Zacarías y a Elisabet de la siguiente manera: «Ambos eran justos delante de Dios, y andaban irreprensibles en todos los mandamientos y ordenanzas del Señor» (1.6). Mientras el sacerdote cumplía su función de ofrecer el incienso, el pueblo de Dios estaba orando, y en ese momento apareció el ángel del Señor, a la derecha del altar. Llama la atención que este sacerdote que tantas veces había orado a Dios, se turbó y se llenó de miedo ante la presencia de un enviado del Cielo. Un hombre de ayer se asusta porque sus oraciones fueron escuchadas y respondidas por Dios. ¡Cuántas veces oramos como Zacarías, solo con palabras! El mensaje del ángel es tranquilizador, le dice: «Zacarías, no temas; porque tu oración ha sido oída, y tu mujer Elisabet te dará a luz un hijo, y llamarás su nombre Juan» (1.13).

Zacarías no solo se asustó por la presencia del enviado de Dios, también quedó atrapado por la duda, le faltó la fe. Como un mensaje para los creyentes de todas las generaciones, un hombre que durante muchos años predicó la Palabra de Dios, sin estar convencido de lo que hacía, fue dejado mudo. El enviado de Dios es contundente:

> Yo soy Gabriel, que estoy delante de Dios; y he sido enviado a hablarte, y a darte estas buenas nuevas. Y ahora quedarás mudo y no podrás hablar, hasta el día en que esto se haga, por cuanto no creíste mis palabras, las cuales se cumplirán a su tiempo. (Lucas 1.19,20)

El sacerdote fue rehabilitado por Dios y pudo continuar su ministerio. Por lo menos la Biblia no nos dice lo contrario.

He querido hacer una comparación entre estos dos hombres por causa del hecho, raro, de que San Lucas no diga casi nada acerca del laico José, y ocupe tanto espacio para referirse al sacerdote Zacarías, siendo José y no Zacarías el héroe de la fe en estos relatos navideños. Es San Mateo quien coloca a José en el lugar que le corresponde, el lugar del hombre sencillo, pero con una sólida fe en Dios. Es esta fe inquebrantable la que le permite ser el padre simbólico del niño Jesús.

La Biblia no lo dice explícitamente, pero es evidente que no solo la virgen María fue elegida para traer a la tierra, como «contrabandista del cielo», a Jesucristo nuestro Redentor. Creo que de todos los hombres que poblaban la tierra, Dios escogió a uno para encargarle la responsabilidad de alimentar, cuidar y educar al niño Jesús. Este hombre elegido por Dios, este nuestro hermano en la fe, también merece recordarse con admiración y respeto. José, un hombre sencillo del pueblo de Dios, un hombre de fe. Puesto que fue un verdadero hombre de Dios, ni la duda ni el temor pudieron doblegarlo como ocurrió con Zacarías. ¡Cuántos como él necesita la iglesia de hoy!

Jesús como modelo de hijo

La Biblia nos presenta a Jesucristo como el hombre nuevo, creado según la intención original de Dios. En el Salmo 8 se nos presenta a un modelo de hombre totalmente diferente a los pobres seres humanos que conoció el salmista. Es importante el hecho de que en este cántico no se hace alusión alguna al pecado, ¿por qué? Sencillamente porque este modelo de humanidad es el que existía antes de la caída. Se trata de un salmo profético que hace referencia al Segundo Adán, tal como aparece en la teología de San Pablo. Jesucristo es el hombre nuevo del cual debemos revestirnos. De ahí el consejo paulino: «Vestíos del nuevo hombre, creado según Dios en la justicia y santidad de la verdad» (Efesios 4.24). ¿Quién, sino Jesucristo, está representado en esta definición? Jesucristo es también el modelo de hijo, y de todos los demás roles que debemos desarrollar los seres humanos. Pero, Jesucristo no es solo hombre, también es Dios. Entonces este modelo puede resultarnos inalcanzable. Sin embargo es un gran desafío. Es el mismo desafío que nos presenta en el Sermón de la Montaña, cuando nos estimula a alcanzar la plenitud de la vida humana, así como Dios tiene la plenitud de la divinidad (San Mateo 4.48).

Algunas reflexiones sobre el nacimiento virginal

Podríamos decir sin exagerar que María es la imagen y la metáfora de la disponibilidad perfecta. Su entrega a Dios le permite, sin duda alguna, acceder con su carne al deseo de Dios que deseaba hacerse carne. Como dice San Juan: «Y aquel Verbo fue hecho carne y habitó entre nosotros (y vimos su gloria, gloria como del Unigénito del Padre)» (Juan 1.14).

La doctrina de la concepción virginal de Jesús no implica ninguna disminución de su verdadera humanidad, sino que por el contrario la subraya. San Pablo enfatiza que el Señor ha nacido de una mujer (Gálatas 4.4). Jesús nació como todos los hombres, de una mujer. Pero, de todas las que existían en el mundo escogió a María. Por algo habrá sido y no debemos dejar de lado esa elección divina.

Jesús y sus padres terrenales

Es necesario distinguir al padre del progenitor. En pocos segundos un hombre puede engendrar un ser humano. Es decir, con mucha rapidez se puede convertir en progenitor. Pero, ser padre es algo muy diferente, lleva toda una vida. Ser padre significa: darle al hijo su nombre, pagar con su propio trabajo la subsistencia del niño, instruirlo, educarlo, incitarle a vivir y a desear las mejores cosas para sí y para el prójimo.

El Evangelio según San Lucas muestra que la presencia cotidiana de Jesús en el hogar, permitió a José y a María tener la ilusión de que el niño era de ellos, que les pertenecía. Jesús, aun con doce años, se da cuenta de que Él no es la propiedad de sus padres. Entonces, Él los libera de su posesividad. Es lógica la actitud angustiosa de María: «Hijo, ¿por qué nos has hecho así?» Jesús no ataca a sus padres terrenales, sencillamente actúa según su vocación.

Jesús muestra a sus padres, como deben hacerlo todos los hijos, que los padres tienen que liberarse de la posesividad de sus hijos, para que estos puedan ser verdaderamente libres. Este texto nos presenta un modelo del desarrollo normal de un adolescente en una familia sana y cristiana.

Jesús no abandona a sus padres; solo les señala que ya no es más un niño, ahora es el hijo. Esto es necesario interpretarlo en su contexto histórico. La expectativa de vida era muy limitada en tiempos de Jesús. Estudios realizados por arqueólogos en cementerios del primer siglo, muestran que el promedio de vida de las personas era de veinticinco años. Luego a los doce años una persona era adulta. Para que una sinagoga pueda funcionar, aún hoy, se necesita la presencia de por lo menos diez hombres cuya edad sea de trece años en adelante. Esto es necesario para poder representar a la comunidad de los creyentes. Nuestro Señor Jesucristo lo hace mucho más sencillo: «Dondequiera que dos o más se reúnan ... allí estaré con ellos».

De la misma manera, los padres de hoy debemos aceptar que nuestros hijos pertenecen a Dios, quien les concede libertades y les impone límites. Los padres debemos recordar que nosotros también estamos bajo la soberanía de Dios. Esta realidad puede ser ilustrada a través del testimonio de una madre, que me dijo:

El último de mis hijos terminó sus estudios secundarios, por ese motivo hicimos una gran fiesta familiar. Esa misma noche tuve un sueño muy raro. En el sueño entré por error en un baño para caballeros y me encontré con un hombre que hacia sus necesidades. Al darme cuenta de mi error traté de salir rápidamente, pero de repente entró mi hijo, el que terminó sus estudios secundarios, resbaló y se cayó por el agujero estrecho que se usaba como letrina. Él se agarró y solo le veíamos las manos. Estaba en un agujero lleno de cacha. El señor tiró de la cadena y entre los dos logramos sacarlo del agujero. Estaba cubierto de una sustancia gelatinosa y de sangre. Mi hijo no estaba preocupado sino alegre y sonriente y me dijo: «Gracias, mamá». No sé por qué relaciono este sueño con un parto.

Creo que no es necesario insistir mucho más para que el lector se dé cuenta de que esta madre entendía, inconscientemente, que el bebé que un día dio a luz, no existía más. Que había desaparecido. Ahora no tenía más un niño, sino tenía un hijo. Y lo seguiría teniendo durante toda su vida.

Si admitimos la afirmación del Dr. Frankl de que existe un inconsciente espiritual, y que este se puede expresar a través de los sueños, el sueño de esta madre es una expresión de una vida espiritual madura.[7]

Los padres deben tener bien claro que por haber crecido, jamás un hijo deja de ser hijo. Solo que nunca más es un niño, ni debe ser tratado como tal. Ese es el gran ejemplo que nos da Jesús en relación con sus padres humanos. Tratar a los hijos como niños hace mal a los padres y a los hijos.

Del *Diccionario de Teología Bíblica*, impreso oficialmente por la iglesia católica, tomamos un párrafo referido al texto que nos sirve de base para nuestra reflexión:

A los doce años, israelita con pleno derecho, proclama Jesús a sus padres de la tierra que debe ante todo entregarse al culto de su Padre celestial (Lucas 2.49). Cuando inicia su misión en Caná, sus palabras a María: «Mujer déjame» (Juan 2.4) no son tanto las de un hijo cuanto las del responsable del Reino; así reivindica su independencia de enviado de Dios. En adelante la madre desaparece tras la creyente (cf. Marcos 3.32-35; Lucas 11.27 y siguientes).[8]

Llama la atención las palabras finales: «En adelante la madre desaparece tras la creyente».

Veamos otra opinión católica, la de una laica francesa, Françoise Dolto, quien nos dice:

En primer lugar, Jesús se separa de María en cuanto madre humana: «No te pertenezco; era tu hijo, pero ahora me debo a los asuntos de mi Padre. Sigo mi propia voz, mi vocación». Para José, Jesús desempeña un papel de revelador. Repite la anunciación del ángel a José en sueños: «No te has equivocado: no soy tuyo, soy hijo del Altísimo». Jesús no pertenece ni a María ni a José. Sin embargo, se somete obedientemente a José para continuar su adolescencia. Ve en este padre aquel que le da unas armas humanas y lo construye, porque hay que ser fuerte para ser carpintero. Hay que ser fuerte para echar a los vendedores del templo. No crece como un clérigo que solo conoce los libros, ni como un joven retrasado, aparentemente sumiso por temor o dependencia, aunque siempre con una cuenta pendiente con su padre. Es ejemplar que un niño se separe de su madre y descubra la dirección de su vida con la ayuda y el sostén de su padre. El período de la infancia de Jesús se acaba con este hecho significativo. En Jesús nace el hombre. Por sus palabras incomprensibles para sus padres, manifiesta que asume el deseo al que le llama su condición de hijo.[9]

El título de Hijo de Dios también se utiliza para dejar establecida la subordinación de Jesús al Padre, en la humillación que fue para Él la encarnación (Filipenses 2.5-11). El Padre es mayor que Él y Jesús lo expresa así: «Habéis oído que yo os he dicho: Voy, y vengo a vosotros. Si me amarais, os habríais regocijado, porque he dicho que voy al Padre; porque el Padre mayor es que yo» (San Juan 14.28).

Jesús se somete a la autoridad del Padre, pero hay entre ambos una preciosa armonía en propósito y en acción. Escuchemos sus palabras: «No puede el Hijo hacer nada por sí mismo, sino lo que ve hacer al Padre; porque todo lo que el Padre hace, también lo hace el Hijo igualmente» (San Juan 5.19).

No podemos comprender el sentido de la encarnación aparte de la redención. La Navidad se corona en la gloriosa mañana de la Resurrección. De ahí ese versículo que todos conocemos de memoria y que algunos han llamado el «evangelio en miniatura» que dice así: «Porque de tal manera amó Dios al mundo, que ha dado a su Hijo unigénito, para que todo aquel que en él cree, no se pierda, mas tenga vida eterna» (Juan 3.16).

A lo largo de todo el Evangelio Jesús reconoció a Dios como su Padre real. Estamos ante el misterio del nacimiento virginal. Un padre siempre debe adoptar a su hijo. Como dice la doctora Françoise Dolto: «Unos lo adoptan al nacer, otros algunos días o semanas después, otros cuando empiezan a hablar, etc. Solo hay padres adoptivos».[10]

Todos los seres humanos tenemos tres padres: uno real, el que engendra, otro simbólico, aquel que con su palabra establece las normas morales y espirituales que deben normar la vida del hijo durante toda su vida y, finalmente, un padre imaginario. Este último tiene una existencia psíquica. Es la idea que cada hijo tiene acerca de su padre. Si le pedimos a cinco o seis personas engendradas por un mismo hombre que nos diga algo sobre este, encontraremos tal diversidad de opiniones que uno lógicamente se preguntaría si se están refiriendo a la misma persona. Tuve ocasión de hablar con dos hermanos acerca de su padre, un varón y una mujer. Para la hija el padre era un hombre dulce y comprensivo. Sin embargo, el hijo lo comparó con el turco torturador de la película *El expreso de media-noche*. El joven se identificó con el torturado. Y los que vieron la película saben que el torturado termina matando al turco torturador.

La familia sagrada y la nuestra

Podemos tomar, como padres y madres, algunas lecciones que nos ofrece la familia armada por Dios, como modelo, la integrada por Jesús, María y José.

En primer lugar vemos en ambos un elemento común: una fe inquebrantable, una disponibilidad absoluta a hacer con sus vidas la voluntad de Dios. ¿Nos sometemos humildemente a la voluntad de Dios, o pretendemos hacer siempre la nuestra? ¿Somos conscientes de que el Hijo de Dios puede ser el huésped invisible en nuestro hogar? ¿Acaso no nos prometió estar dondequiera que dos o más se reúnan en su nombre?

Deseo volver al tema del clima bíblico, a partir de la ilustración con que comencé mis reflexiones en este capítulo, la ilustración de la ballena y del oso polar. La salvación es el tema central del mensaje bíblico. Salvación, que si bien es personal, involucra a todos los que amamos, especialmente nuestra familia. El plan de salvación, es el fundamento de la creación de la familia llamada «sagrada», y de cada familia en cualquier parte del mundo.

Al comenzar mis reflexiones dije que San Pablo describe el clima de la familia cristiana en 1 Corintios 13.13, donde presenta la primacía del amor. Por definición bíblica: «Dios es amor» (1 Juan 4.8). El amor es la única de las virtudes, llamadas teologales, que el hombre puede compartir con Dios. No es lógico pensar que Dios, siendo omnipotente, omnisciente y omnipresente, pueda tener necesidad de fe o de esperanza. Estas son dos virtudes exclusiva-mente humanas.

Ciertamente, el amor, que es Dios mismo, está presente en la fundación de la familia «sagrada», y en toda familia cristiana. Debe-mos tener en cuenta, sin embargo, que en la constitución de esta familia modelo, o este arquetipo de familia, hay otra manifestación divina que aparece constantemente. Especialmente en el Evangelio según San Lucas; se trata del ministerio del Espíritu Santo.

En las dos familias entrelazadas, la de Jesús y la de Juan el Bautista, de tres de los padres se dice explícitamente que fueron «llenos del Espíritu Santo». María, al ser embarazada (Lucas 1.35), Elisabet (Lucas 1.41) y Zacarías (Lucas 1.67). De José se nos dice poco en San Lucas. Pero San Mateo nos relata que este padre fue visitado especialmente por Dios a través de un sueño (Mateo 1.20-25).

Lo dije antes y ahora lo repito:

¿Por qué no imitar a María como «contrabandista del Cielo», como la llamó Von Allmen? ¿Ha pensado, hermano, que cada vez que usted le presenta a Cristo a una persona está trayendo al mundo, de contrabando, algo celestial? Una cosa es el proselitismo y otra la evangelización. Si lo que le interesa es aumentar la membresía de su congregación, para sentirse orgulloso de ¡cuán grande es!, usted está haciendo proselitismo. Si lo que le interesa es procurar un mundo mejor donde toda la humanidad haga propia la obra redentora de Jesucristo, a través de su sangre vertida en el Calvario, para hacer posible el perdón de los pecados, entonces usted está evangelizando.

Existe el peligro de la desintegración de la familia. La iglesia es la única reserva moral y espiritual que le queda a la humanidad. Todos los cristianos debemos esforzarnos por mejorar nuestras relaciones familiares a la luz del evangelio, tomando como modelo a la familia sagrada. Esto quiere decir que la mejor evangelización es el testimonio que una familia puede dar a otra, por lo que es y por lo que hace.

El mejor modelo de Hijo, es Jesús; y el mejor modelo de padres humanos son María y José. Dios, nuestro Señor, nos ha concedido estos tres modelos arquetípicos, ejemplares. Estos padres son modelos de amor, humildad, fe, disponibilidad ante las demandas divinas, obediencia y perseverancia a través de toda la vida. Roguemos al Señor que bendiga y ayude a cada uno de los lectores de estas páginas para que puedan tomar a Jesús como modelo de hijo. También roguemos al Señor que bendiga y ayude a cada uno de los padres que lean estas páginas, para que puedan tomar a José y a María como modelos de madre y de padre.

Referencias bibliográficas

1. A. Anastasi, *Diccionario de nombres propios*, Editorial y librería Goncourt, Buenos Aires, 1985, p. 78.
2. J.J. Von Allmen, artículo: «Marie», en *Vocabulaire biblique*, Editions Delacheaux & Niestlé, Neuchatel, Suiza, 1964, p. 200.
3. *Ibid.*, p. 199.
4. *Ibid.*, p. 199.
5. A. Anastasi, *op. cit.*, p. 69.
6. *Ibid.*, p. 116.
7. V.E. Frankl, *La presencia ignorada de Dios: Psicoterapia y religión*, Editorial Herder, Barcelona, 1979, p. 43.
8. X. Léon-Dufour, *Diccionario de Teología Bíblica*, Editorial Herder, Barcelona, 1967, p. 446.
9. F. Dolto, *El evangelio ante el psicoanálisis*, pp. 35,36.
10. *Ibid.*, p. 26.

2

El matrimonio hoy

El matrimonio es el estado normal de todo hombre y de toda mujer que no tiene un carisma especial para mantenerse célibe. El teólogo alemán Dietrich Bonhoeffer, encarcelado por oponerse a Hitler, en mayo de 1943, desde su celda, escribió un sermón para un casamiento. De sus reflexiones sobre el matrimonio voy a reproducir dos párrafos:

> Dios responde sí a vuestro sí; pero al hacerlo, Él crea algo totalmente nuevo; a partir de vuestro amor, Él crea la santidad del matrimonio. Dios reina sobre vuestra vida conyugal. El matrimonio es más grande que vuestro amor recíproco. Él tiene una dignidad y un poder más alto, pues es un don de Dios a través del cual Él desea mantener la humanidad hasta el día final.[1]

Con relación a la armonía conyugal, hace las siguientes reflexiones:

> Una mujer que desee dominar a su marido se deshonra ella misma, y a su marido. Igualmente, un marido se deshonra a sí mismo, y a su mujer, cuando no la ama. Los dos menosprecian el honor de Dios que debe reposar sobre el matrimonio.[2]

A partir de las afirmaciones de Bonhoeffer me animo a afirmar que en las matemáticas divinas, el matrimonio es mucho más que la suma del sí de ella y el de él; pues hay que añadir, a esa suma, el sí de Dios. Pero, ¿cómo y cuándo podemos estar seguros de que Dios ha dado su sí? Sin duda alguna, solo el amor valida al matrimonio; y la armonía amorosa en su consecuencia. La lucha por el poder dentro de un matrimonio, se constituye en el certificado de su defunción.

Encontré a una joven seis meses después de su casamiento. «¿Cómo te ha ido?», le pregunté. Mucho me sorprendió su respuesta: «Cuando se va la ilusión, todo se acaba». Muchas preguntas levanta esta breve respuesta, y también algunas reflexiones. ¿Existe el amor, o se trata solo de una ilusión? ¿Es el matrimonio una carnada para atraparnos? En determinado encuadre pastoral, el matrimonio es semejante a un cementerio, donde todos los muertos pueden entrar, pero ninguno puede salir. Y, hablando de cementerio... ¿es el matrimonio la sepultura del amor, como suelen afirmar algunos?

Es evidente que estamos delante de un tema muy importante. Por lo tanto, debemos preguntarnos muy seriamente: ¿Es posible mantener vivo el amor y la armonía conyugal hasta que la muerte separe a la pareja? Necesitamos tener bien claro el significado del amor. Es decir, saber y sentir qué es el amor, y cómo mantener la armonía conyugal a través de los años. También se necesita saber si es posible lograrlo en todos los casos.

No debemos olvidar que el amor es algo vivo, y que todo lo vivo puede morir. Tampoco se debe olvidar la realidad cotidiana, de que la armonía y el matrimonio se pueden romper. Por lo tanto, es necesario cultivar el arte de amar. También debemos procurar el adecuado nivel de salud: física, mental y espiritual, para mantener vivo el amor y la armonía conyugal cuando esto es posible.

Debemos tener en cuenta que nadie va solo al matrimonio; cada uno se acerca a él con su propia historia. El matrimonio es, pues, el encuentro de dos historias singulares que pretenden constituirse en plurales, sin abandonar la singularidad de cada uno de los miembros de la pareja. No es tan sencillo mantener la pareja unida cuando uno de ellos, o ambos, traen en su «valija» odio y resentimiento de su hogar de origen. El único antídoto que destruye el veneno del odio es el amor. Más adelante veremos como las disfunciones sexuales, las estructuras psíquicas de cada uno de los cónyuges, y las estructuras familiares de las que cada uno procede, pueden conspirar contra la estabilidad del matrimonio.

El amor

El Dr. Emilio Mira y López, en su obra *Los cuatro gigantes del alma*, distingue entre amores sanos y enfermos.[3] No ama en realidad toda persona que dice amar. En el trabajo del psicoterapeuta a veces se puede leer entre líneas la autenticidad o falsedad del discurso. Deseo presentar el recorte de un discurso donde he podido detectar el amor. Es un verdadero testimonio de amor:

> El pastor proclamaba su sermón, pero yo no podía concentrarme para seguirlo. Me quedé fijado en el pasaje bíblico sobre el que predicaba: Efesios 5.21-32. Pensé en mi amada y tuve la sensación de que en ese momento nos uníamos en un matrimonio espiritual. Esta ha sido una vivencia rara y única en mi vida. La de sentirme unido a ella en una sola alma-mente-cuerpo, contando con el sí de Dios. Lo raro es que ella no estaba presente en el cuerpo para decir el: «Sí, quiero». ¿Se trata de la unión de dos almas? ¿O es que me estoy volviendo loco? Si así es, ¡qué linda es la locura de amor!

El tiempo probó que estas no eran solo palabras ocasionales del momento. Este amor se conserva con frescura. Podría presentar otros testimonios que parecerían, a simple vista, un romanticismo irreal en una persona mayor de cincuenta años. El finado pastor metodista argentino Roberto Ríos, quien fue rector del Instituto Superior Evangélico de Estudios Teológicos de Buenos Aires, Argentina (I.S.E.D.E.T.), dejó un bello testimonio en su libro titulado *¿Vale la pena amar?* Nos dice Ríos:

> El amor es siempre una aventura, el amor auténtico por supuesto. Porque amar genuinamente significa darse a sí mismo más allá del círculo conocido, es perder toda la seguridad del propio sistema de vida, lanzarse a desconocidas exigencias.[4]

No es imposible encontrar el amor, no importa la edad; lo difícil es conservarlo. Pero si interpretamos bien el evangelio debemos propender al cultivo del amor que debemos encontrar.

Necesitamos cuidar la familia en estos momentos difíciles, y no debemos olvidar que el matrimonio es el fundamento de la sociedad humana. Quiero rescatar del recorte que acabo de citar el concepto de matrimonio espiritual. Llegué a la conclusión de que hay tres tipos de matrimonio. Veamos.

El matrimonio legal

Es la unión a los efectos legales y patrimoniales. Es una sociedad de bienes gananciales. Es la unión que hace heredero al otro, exista o no el amor entre ellos. Es la unión que impide que una persona casada compre algo para sí, pues cualquier compra que haga se convierte en un bien ganancial sobre el cual el otro puede reclamar en caso de divorcio. Una libreta de casamiento no sirve para nada sin amor. El papel no llega al corazón. Por otro lado, el Matrimonio Civil existe, por lo menos en la Argentina, desde poco más de un siglo. Antes no lo había. Solo existía el matrimonio religioso.

El matrimonio religioso

Comenzó a existir en el siglo doce. Esto quiere decir que durante más de mil años no hubo en la iglesia cristiana una ceremonia de casamiento. Recordemos que en las bodas de Caná de Galilea Jesús no hizo ni siquiera una oración. Solo hizo buen vino para que la gente se alegrara. La mujer en tiempos bíblicos, una sociedad machista y patriarcal, pasaba de la tiranía de un hombre a la de otro, del padre al marido. No había posibilidad de opción y el matrimonio se realizaba sin amor. Los padres hacían los convenios con los correspondientes arreglos económicos. Todavía queda algo de esa costumbre, la dote. Según Deuteronomio 24 el hombre se podía divorciar; la mujer no. Si Jesús prohíbe el divorcio es para proteger a la mujer. En tiempos bíblicos el padre hacía una gran fiesta y en ella entregaba a su hija como posesión para otro hombre. A una fiesta como esa asistió Jesús en Caná de Galilea.

No siempre el matrimonio religioso es garante de la felicidad
lo constatamos en la vida cotidiana. A veces hay matrimonios
religiosos por conveniencia y sin amor. La iglesia no debe prestarse
a realizar este tipo de matrimonios. Solo el amor valida el matrimonio. Pero no siempre fue así. En el relato de Génesis 24, cuando
Abraham decide buscar esposa para su hijo, no le preguntó a este
ni siquiera si le gustaba rubia o morocha, flaca o gordita. No había
noviazgo en aquellos tiempos patriarcales. La palabra novia no
aparece en la Biblia. Según Génesis 24.67 el proceso amatorio entre
Isaac y Rebeca fue el siguiente:

- El criado escoge la chica según las instrucciones recibidas.
- Isaac la lleva a su tienda y la toma por mujer, es decir,
  la inicia en la vida sexual.
- Con el correr del tiempo comienza a sentir amor por
  su mujer.
- A partir de su relación con su mujer Isaac se consuela
  de la muerte de su madre, es decir, supera su complejo
  de Edipo.

En esos antiguos tiempos bíblicos el amor podía venir al final;
hoy todo es al revés, porque Jesucristo nos ha revelado que Dios es
amor. Por eso sabemos que Dios está donde está el amor y se ausenta
donde no lo hay. En el relato de Génesis 24 no se hace referencia a
una ceremonia religiosa para autorizar la iniciación de la actividad
sexual. Parecería que tampoco la hubo en Caná de Galilea. La Biblia
no dice nada al respecto. En esa ocasión nuestro Señor ni siquiera
hizo una oración.

El matrimonio espiritual

Es el único y verdadero matrimonio. Aquel en que se unen dos
personas en su totalidad: ALMA, MENTE Y CUERPO. Solo con la unión
de las almas se puede lograr la armónica unión de las mentes y de
los cuerpos.

Esto es un misterio como dice San Pablo en Efesios 5. Lo es en cuanto a la unión de Cristo y de la Iglesia. También lo es en cuando a la unión de dos mentes y dos cuerpos porque sus almas se han unido.

¿Cómo es posible unir dos mentes si un ser humano no puede comprender la suya propia? Es por eso que se trata de un misterio. No se lo puede comprender en el campo de lo teórico; solo se lo puede vivenciar en la experiencia personal. Lo misterioso se hace comprensible solo en el momento empírico del amor. El Dr. Emilio Mira y López, en la obra que he citado, nos dice al respecto:

> A partir de ese instante, dos forman uno; hay interpenetración de los núcleos personales y se constituye una superpersona común a los dos cuerpos ... Al confesarse recíprocamente su amor, los dos amantes se fecundan mentalmente y se engarzan de un modo más íntimo y perdurable de lo que luego harán sus cuerpos.[5]

En una obra más reciente, otro autor español, el Dr. Enrique Rojas, nos dice:

> Desde la atracción inicial del enamoramiento hay un largo camino por recorrer; unos se quedan a mitad del trayecto; otros, prosperan y alcanzan ese desear estar junto al otro, una de las características que definen al amor.[6]

Hay matrimonio espiritual cuando se logra la unión de las almas de tal manera que la ausencia temporal se hace desesperante para los dos. Cuando se logra alcanzar lo que Mira y López denomina «superpersona común a los dos cuerpos»,[7] se produce una real unión de los cuerpos. Es entonces cuando se puede hacer el amor. Sin la unión de las almas lo sexual es solo una caricatura del amor.

Todos los cristianos sabemos que hay un solo Dios; también sabemos que se expresa de tres maneras: Padre, Hijo y Espíritu Santo. Todos los seres humanos con cierto nivel de cultura reconocemos que la plenitud de vida se logra con la perfecta armonía entre tres elementos que hacen a nuestra unidad como sujetos: Alma, mente y cuerpo. De igual manera, para el cristiano «el matrimonio auténtico» consiste en la integración del enlace legal, el religioso y el espiritual. Aunque debemos reconocer que el matrimonio espiritual es lo que anuda y da sentido a todo lo demás. Su ausencia convierte al casorio en una caricatura del amor. Ciertamente, dicha ausencia no invalida la legalidad, pero conduce a la angustia, la frustración, el hastío, el aburrimiento, el fastidio y la indiferencia. Ante semejante situación muchas personas se preguntan: «¿Vale la pena?» Esta pregunta aparece cada vez con más frecuencia en la oficina pastoral. ¿Qué respuesta dar? Muchos pastores están condicionados para ofrecer contestaciones tradicionales, aun cuando ellos mismos están atados por la misma cuerda.

¿Por qué está en crisis el matrimonio hoy?

Porque algunas personas se casan siendo aún inmaduros y no se encuentran en condiciones de hacer la mejor elección. Después, al madurar se dan cuenta del error cometido. Al tomar conciencia, se dan cuenta que pueden lastimar a muchas personas si rompen el vínculo. Este problema es el más común que se me ha presentado en mi tarea como pastor y como psicoterapeuta.

Con el tiempo, las personas van cambiando. Sus células cambian, pero también sus mentes y la sensibilidad de sus almas. Sin embargo, lo que nunca debe cambiar en una persona plenamente humana y cristiana es su capacidad de amar y de recibir amor. Dar y recibir, oferta y demanda.

En el mercado internacional del amor hay una gran inflación porque la demanda es mucha, pero la oferta escasea. ¿Quién no desea ser amado? La mayoría de las personas que desean ser amadas, han perdido la capacidad de amar. El amor implica el respeto por la persona amada. Implica además el deseo de hacer crecer integralmente al objeto del amor. Quien ama verdaderamente no critica las debilidades de su pareja para deprimirla y disminuirla en su autoestima; por el contrario, la ayuda a convertir en fortaleza sus debilidades.

Cuando no existe respeto por el cónyuge el amor muere, como muere una planta cuando se la priva de la luz del sol, del agua y del aire. La falta de deseo de superación de la pareja marchita el amor, la reincidencia en esa falta, lo seca. Un amor marchito se puede reactivar, pero cuando se seca muere definitivamente. El deseo desmedido de lograr prestigio, fama y poder personal sin procurar que la persona amada le acompañe en su peregrinar constituye el asesinato del amor.

La clave del crecimiento del amor en el matrimonio espiritual y su conservación en el tiempo consiste, entre otros factores, en los siguientes:

Respeto por el otro. No aprovecharse de las debilidades psíquicas del otro para dominarlo o esclavizarlo, sino ayudarle a convertir en escalera las piedras que la vida le ha colocado en su camino, desde la niñez.

Nada está bien hecho si se puede hacer mejor. El matrimonio espiritual no debe conformarse con la mediocridad, sino que cada uno de sus miembros debe estimular al otro a desplegar su creatividad y su espontaneidad, articulándolas amorosa y armoniosamente con la creatividad y la espontaneidad del otro.

En el matrimonio espiritual no se puede hacer todo, porque siempre existen las limitaciones inherentes a nuestra condición humana, pero se puede hacer algo como expresión de amor genuino. Lo que es posible hacer, debemos hacerlo.

¿Es posible lograr la armonía conyugal?

La crisis de la pareja es moneda corriente en nuestra sociedad. Hace treinta años la mayoría de los cristianos suponían que, «casarse con una persona creyente», daba seguridad al matrimonio. Hoy nos encontramos con tensiones matrimoniales que no reconocen fronteras. El divorcio y las nuevas uniones se repiten. Esta situación es un verdadero desafío al ministerio de la iglesia. No es cuestión de mantener matrimonios ficticios a toda costa, para sentirnos satisfechos. El desafío es mucho más profundo, ¿qué podemos hacer? ¿Existe algún antídoto para esta enfermedad de la sociedad contemporánea?

No existe una fórmula mágica capaz de solucionar, en forma infalible, cada uno de los conflictos que conspiran contra el matrimonio. Pero hay algunas pautas que pueden resultar útiles para encontrar un camino adecuado para la solución de los principales problemas de la pareja. Desde ese marco referencial voy a presentar la siguiente fórmula que me ha resultado útil en mi trabajo pastoral:

CAS + ASPIA = ARMONÍA CONYUGAL

Comencemos por la sigla CAS. La C significa *comunicación*, la A *afectividad* y la S *sexualidad*. «CAS» es una consecuencia lógica y espontánea. La comunicación fortalece la afectividad, la cual conduce a una significativa y gratificante sexualidad. A su vez la sexualidad contribuye a mejorar la comunicación, creándose así un circuito cerrado de retroalimentación. Aunque la fórmula es muy sencilla no resulta fácil lograr su adecuada aplicación. Es sumamente difícil, para cualquier matrimonio, mantener una buena comunicación, una espontánea afectividad y una gratificante y creativa sexualidad. (Por la importancia del tema, dedicaremos el próximo capítulo al estudio de la sexualidad.)

Uno de los errores más comunes es suponer que la mayoría de los problemas de la pareja tienen un origen sexual. Lo sexual es solo la parte visible de una problemática mucho más profunda, que tiene que ver con la estructura de la personalidad, la cual facilita, o inhibe. Para lograr un matrimonio pleno, es necesario tener la capacidad para comunicarse adecuadamente y la capacidad para amar y dejarse amar.

Los bloqueos de la comunicación

El comienzo del fin para algunos matrimonios es la incapacidad para comunicarse. La comunicación, para ser tal, debe comprobarse mediante una respuesta adecuada. Si el mensaje no llega, o si llega y no es respondido, no hay comunicación.

Existen por lo menos tres tipos de bloqueos que conspiran contra la comunicación:

• Los creados por tensiones entre los sistemas intrap-
síquicos de los miembros de la pareja. El aparato
psíquico, según Freud, consta de tres sistemas: El
ello, el yo y el superyó. El primero es totalmente
inconsciente y está regido por el principio del placer.
Es innato y constituye el capital con que venimos al
mundo. El yo es el secretario ejecutivo de la personalidad y por lo tanto la representa ante el mundo
exterior. Se rige por el principio de realidad. El
superyó está constituido por las normas de conducta
del grupo familiar y social que han sido internalizadas. Se rige por el principio del deber. Si en uno de
los miembros de la pareja el superyó controla el
mayor monto de energía psíquica, mientras que en
el otro lo hace el ello, las tensiones serán inevitables.
Uno vive en función del placer, el otro está esclavizado al deber y los dos están enfermos. El yo, en la
persona sana, dispone del mayor potencial de energía psíquica y mantiene el equilibrio, la homeostasis,
entre las fuerzas en pugna.

• El segundo tipo de bloqueo de la comunicación se
produce por el choque de diferentes modelos de familia internalizadas. Diferentes estilos de vida, factores
culturales, étnicos, etc., pueden conspirar contra la
adecuada comunicación en la pareja.

• Un tercer tipo de bloqueo de la comunicación en el
matrimonio puede ser producido por cambios en la
interacción familiar por la llegada de los hijos. Por
razones edípicas todo hijo trata de acaparar para sí al
progenitor del sexo opuesto. Para lograrlo intentará
romper el vinculo existente entre sus padres. Algunos
lo logran. Hay madres, y también padres, que al comenzar a desempeñar el nuevo rol, dejan en un segundo plano el rol de esposo o esposa.

Cualquiera sea la causa de la disminución de la calidad y de la profundidad de la comunicación, conduce irremisiblemente a una crisis afectiva.

El amor no es semejante a un virus que se apodera de uno, aun en contra de nuestra voluntad. Como se trata de un sentimiento, es algo vivo y todo lo que vive puede morir. Necesitamos cultivar el arte de amar a través de una auténtica comunicación. Es necesario aprender a dar afecto, si queremos recibirlo.

Una fórmula para procurar la armonía conyugal

He afirmado que no existe una fórmula mágica capaz de solucionar todos los conflictos que conspiran contra el matrimonio. Por razones didácticas vuelvo a la fómula a la que me he referido antes: (CAS + ASPIA = ARMONÍA CONYUGAL). También, por razones didácticas, presento a continuación una graficación de la integración de *CAS* y de *ASPIA*.

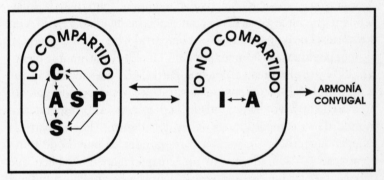

CAS y ASPIA se encuentran en la A de *afectividad*. En su obra, *El arte de amar*, Erich Fromm nos dice:

> El hombre moderno está enajenado de sí mismo, de sus semejantes y de la naturaleza. Se ha transformado en un artículo, experimenta sus fuerzas vitales como una inversión que puede producirle el máximo de beneficios posibles en las condiciones imperantes en el mercado.[8]

Al referirnos a la afectividad, o al amor, debemos preguntarnos, ¿cuál? Ya he señalado que el Dr. Emilio Mira y López distingue entre amores sanos y enfermos. También afirma, con razón, que los hay puros e impuros, pasajeros y duraderos, egoístas y generosos.[9]

A su vez Wilhelm Stekel, en *El matrimonio moderno*, considera que existen tres tipos de amor: El rojo, que corresponde al *eros*, el instinto; el blanco, que corresponde al *pathos*, el sentimiento; y el gris, que corresponde al *logos*, la razón, o la conveniencia. Después de analizar exhaustivamente cada uno de estos amores concluye:

> El matrimonio de instinto, el matrimonio de sentimiento, el matrimonio de razón, todos tienen su peligro. El matrimonio moderno está en quiebra porque es parcial y no sabe realizar la síntesis de los tres componentes.[10]

Con la sigla ASPIA pretendo definir el amor maduro como aquel que es capaz de proporcionar a cada cónyuge cinco necesidades psicológicas básicas: Afectividad, seguridad, pertenencia, independencia y autoestima. En la graficación he dividido a ASPIA en dos partes. Lo compartido y lo no compartido. En esta forma separo el amor por la pareja del amor por sí mismo. En el matrimonio pleno, o sano, el *yo* y el *tú* crean al *nosotros*. Pero el nosotros no debe anular ni al yo ni al tú. Estar desposado no significa estar «esposado», atado, privado de libertad. La seguridad y la pertenencia corresponden al mundo de lo compartido, es decir, del nosotros. Por su parte la independencia y la autoestima corresponden al mundo de lo no compartido, o sea, al yo o al tú. Un mandamiento bíblico que debemos tomar muy en serio es: «Amarás a tú prójimo como a ti mismo». Quien no se ame a sí mismo, no está en condiciones de amar al otro. Muchas veces, por odiarse a sí mismo, un ser humano destruye al otro, a quien dice amar.

La S de ASPIA significa *seguridad*. Las flechas, en la graficación, indican que esta seguridad se da a todos los niveles de CAS, de la comunicación, de la afectividad y de la sexualidad. La inseguridad, cuando es creada por realidades del mundo interno de uno o de ambos miembros de la pareja, es señal de inmadurez emocional. Los celos son siempre irracionales y enfermizos. Por lo general, estos tienen un origen arcaico. Su punto de partida es la duda del cariño de los padres en los primeros años de vida. Los celos suelen ser la reactivación de miedos infantiles de ser abandonados por Ios padres.

La P de ASPIA significa *pertenencia*. El verdadero amor, o el amor maduro, ofrece seguridad de la pertenencia del uno al otro en los tres niveles de «CAS». La mutua pertenencia, sin que ninguno de los dos deje de ser persona, es una de las más claras manifestaciones del amor maduro. Esa entrega voluntaria e incondicional, sin intención de cosificar al otro, nos hace verdaderamente humanos. Es en la relación hombre-mujer que se da la imagen de Dios en el ser humano (Génesis 1.26-27). Cuando alguien ama verdaderamente, se acerca a Dios, porque Dios es amor. Por eso dice 1 Juan 4.8: «El que no ama, no ha conocido a Dios; porque, Dios es amor». Ese amor, expresado en pertenencia mutua, tiene un carácter heroico, porque amamos a la persona amada, con sus defectos y limitaciones. Es así como Dios nos ama.

Dios ha creado al hombre y a la mujer en absoluta igualdad en cuanto a la esencia de su ser y de sus valores. Pero los ha hecho distintos corporal y psicológicamente. No para que entren en pugna a fin de determinar cuál es el más importante, o el mejor; sino para que se complementen. En cada uno ha colocado estructuras genéticas programadas internas que se completan con las del otro. Estas actúan como estructuras genéticas programadas externas, para el completamiento de cada uno. De ahí la validez y la mutua necesidad tanto de la pertenencia como de la independencia.

La A final, significa *autoestima*. Lo compartido debe alimentar generosamente a lo no compartido. De lo contrario, no habrá nada que compartir. La falta de respeto por la individualidad, la independencia y la autoestima de la otra persona, es el comienzo del fin del matrimonio. La otra persona necesita su tiempo, su territorio y su respeto.

La falta de autoestima es una clara expresión de debilidad yoica. Hay personas que actúan casi siempre en forma yo-debilitante, a fin de sobrecompensar sus sentimientos de inferioridad, conscientes o inconscientes. Al hacerlo pretenden disminuir el yo del otro para acrecentar el propio. Estas personas suelen destruir su propio matrimonio, sin darse cuenta del daño que hacen y que se hacen. Porque es el yo de cada uno, actuando como tú para el otro, el que hace posible ser auténticamente, «nosotros».

Hay personas que van el matrimonio con su yo debilitado por causa de la educación recibida. Si a esto se suma la actitud yo-debilitante de su propio cónyuge, se produce la siguiente sintomatología:

1. Torpeza en las actividades psicomotoras.
2. Disminución de las funciones yoicas básicas más importantes, que son: percepción, atención, concentración y memoria.
3. Disminución de la capacidad para establecer relaciones objetales; es decir, para comunicarse significativamente con otras personas.
4. Disminución de la capacidad para controlar los impulsos, sean estos de agredir, de agredirse, o de inhibirse.
5. Sensible disminución de la tolerancia a la ansiedad y a la frustración.
6. Pobre valoración de sí mismo. Toda persona que tenga un yo disminuido, dudará de su valía.

Si una persona con yo debilitado se casa con otra que tiene una actitud yo-debilitante, este matrimonio puede estar transitando por el camino del desastre, a menos que reciba ayuda. Esta realidad es un desafío a la pastoral evangélica en un mundo en crisis. Podemos responder en forma categórica. Sí, es posible lograr la armonía conyugal, mediante la adecuada integración de CAS y de ASPIA. Este logro es mucho más probable cuando se intenta en el contexto de la fe y de la comunidad cristiana.

Desarmonías estructurales

Sigmund Freud clasificó a los seres humanos en tres categorías: Neuróticos, psicóticos y perversos. A su vez, cada uno de estos tres tipos de personas son clasificados en diferentes expresiones del trastorno psíquico al que pertenecen. Es decir, hay diversos tipos de neurosis, psicosis y perversiones. Según esta división, nadie sería normal. Es decir, debemos conformarnos con tener la «suerte» de tener solo un nivel bajo de neurosis. Jacques Lacan, el fundador de la Escuela Francesa de Psicoanálisis, tomó del estructuralismo elementos para aplicar al psicoanálisis. Es él quien se ocupa de las estructuras psíquicas que maduran hacia los seis años de vida. En mi último libro de *Psicología Pastoral*, dedico un capítulo al aporte de Freud y Lacan al conocimiento de la dinámica psíquica.[11] Lacan clasificó a los seres humanos según el esquema freudiano.

¿Debemos aceptar que ninguna persona es totalmente normal? Una voz se ha levantado, en Francia, en el campo de la filosofía para defender la existencia de una cuarta estructura. Se trata de Alain Juranville, quien afirma que la sublimación es la cuarta estructura. Él las llama «estructuras existenciales», que serían: La neurosis, la psicosis, la perversión y la sublimación.[12] Un psicoanalista argentino, Roberto Harari, dictó un Seminario en *Mayéutica: Institución Psicoanalítica sobre el tema: Neurosis, psicosis, perversiones, sublimación: Estructuras, puntuaciones.*[13]

¿Hacia dónde voy con todo esto?, pensará el lector. Pues a señalar que las estructuras psíquicas o existenciales, como las llama Alain Juranville, tienen mucho que ver con la estabilidad o la destrucción del matrimonio y la familia. Lo vamos a ver brevemente ahora, y volveremos sobre el tema en el cuarto capítulo cuando nos ocupemos de las estructuras familiares.

El único psicoterapeuta de parejas, cuya obra conozco, que haya tomado en cuenta las estructuras de cada uno de los miembros de la pareja, en su intento de ayudar a matrimonios conflictuados, es el Dr. Peter A. Martin, de Estados Unidos de América.[14] Este autor parte de la descripción de matrimonios psicopatológicos para «inferir cuáles son los valores normales en el matrimonio; a su vez, estos valores ponen de relieve los cambios necesarios para establecer un esquema matrimonial sano».[15]

Martin establece una tipología de matrimonios que presentan serios trastornos. Son cuatro sus esquemas matrimoniales patológicos.

El primero lo denomina: La esposa «enamorada» y el marido frío. Afirma que este es el problema psicoterapéutico más común, y también el más difícil que él ha encontrado en su trabajo profesional. Pero, yendo a lo que me interesa resaltar las estructuras psíquicas que pueden conspirar contra la armonía conyugal afirma Martin que en estos casos la esposa es histérica y el marido obsesivo. Tanto la histeria, como las actitudes obsesivas-compulsivas, son subestructuras de la estructura neurótica. Lo obsesivo se refiere a las ideas; lo compulsivo a la hiperactividad que el obsesivo no puede detener.[16]

El segundo tipo de patología matrimonial lo denomina: El marido «en busca de una madre». En este caso, las subestructuras neuróticas están al revés. El marido es histérico y la mujer obsesiva.[17] Las personas interesadas en un mayor estudio de estos dos tipos de patologías, pueden acudir a la obra citada. Según mi experiencia pastoral, la histeria es más común que lo que se supone. Volveremos sobre este tema al final del sexto capítulo.

El tercer tipo de matrimonio enfermo es designado como: «El matrimonio de dos parásitos».

Estos matrimonios están constituidos por dos cónyuges pasivo-dependientes. Dos personas que, al no poder nadar, se aferran desesperadamente la una a la otra y se ahogan juntas.[18] El último tipo lo llama: «El matrimonio paranoide».[19] En estos casos, señala Martin, los delirios paranoides y las actitudes patológicas han sido dirigidas contra el otro cónyuge. A menudo aparecen celos patológicos y acusaciones de infidelidad. Puede haber mucha violencia. El cónyuge activo suele enfurecerse cuando su autoridad es cuestionada.

A partir de las características de los matrimonios patológicos, Martin arriba a su definición de matrimonio sano. Nos dice:

> Un matrimonio sano es una unión entre dos personas capaces de valerse a sí mismas y de apoyar a otros, y que se comprometen a mantener dicha unión ... Lo ideal es que dentro del matrimonio haya una independencia

equitativa, una dependencia mutua y una obligación recíproca.[20]

Cinco principios fundamentales

Para terminar las reflexiones de este capítulo, voy a compartir cinco principios que pueden ser utilizados como estimulantes para el diálogo en encuentros de matrimonios cristianos. Espero que también sean útiles para toda persona que lea este material.

Principio del amor

Amar a la pareja no es amarla por sus virtudes. Amar es amarla a pesar de sus defectos y de sus errores. Defectos y errores que deben ser minimizados y no magnificados. Todo esto es posible, solo cuando se ha alcanzado «la supersona», donde dos son verdaderamente uno, como nos señala el Dr. Emilio Mira y López. La Biblia nos dice sencillamente: «Una sola carne». Aquí carne significa la totalidad de la persona. Es decir, alma, mente y cuerpo.

Principio pastoral

Cuando usted se encuentre con tensiones y/o incomprensiones en su pareja, aplíquese lo que usted aconsejaría a una persona con dificultades conyugales desde una perspectiva pastoral.

Principio del equilibrio

Es necesario que usted ponga límites a sus exigencies personales cuando estas afectan a la pareja. Igualmente es necesario que usted se proponga metas, y que se esfuerce por cumplirlas. Si cada uno no se exige lo suficiente, la falta de objetivos concretos puede poner en peligro a su pareja. Cuando se cae en la rutina, surge el aburrimiento; y a veces el hastío.

Principio de la realización personal

Cuando uno de los miembros de la pareja, más comunmente la mujer, al casarse siente que la razón de su existencia es satisfacer las expectativas del otro postergando las propias, el matrimonio entrará en crisis algún día. Con el correr de los años, uno de los dos se cansará de postergar indefinidamente sus expectativas de realización personal. Entonces surge la crisis y se puede producir la ruptura.

Como complemento de este principio reproduzco lo que Fritz Perls llama «La oración guestáltica»:

Yo soy yo y tú eres tú.
No estoy en este mundo, para llenar tus expectativas.
Y tú no estás en este mundo, para llenar las mías.
Yo soy yo y tu eres tú. AMÉN.[21]

Principio espiritual

Ponga en práctica, todo lo que usted ha enseñado, y todo lo que ha escuchado, sobre el poder de la oración.

Referencias bibliográficas

1. D. Bonhoeffer, *Résistance et soumission (Lettres et notes de captivité)*, Editions Labor et Fides, Ginebra, Suiza, 1963, p. 24.
2. *Ibid.*, p. 27.
3. Emilio Mira y López, *Los cuatro gigantes del alma*, Ediciones Lidiun, Buenos Aires, 1986, pp. 157-168.
4. Roberto Ríos, *¿Vale la pena amar?*, Methopress, Buenos Aires, 1980, p. 61.
5. E. Mira y López, *op. cit.*, pp. 150-151.
6. E. Rojas, *El hombre light*, Colección fin de siglo, Buenos Aires, 1992, p. 60
7. E. Mira y López, *op. cit.*, p. 150.
8. E. Fromm, *El arte de amar*, Editorial Paidós, Buenos Aires, 1966, p. 104.
9. E. Mira y López, *op. cit.*, pp. 157-158.
10. W. Stekel, *El matrimonio moderno*, Ediciones Libera, Buenos Aires, 1964, p. 86.

11. J.A. León, *Hacia una psicología pastoral para los años 2000*, Editorial Caribe, Miami, 1996 (cf. Capítulo 2).

12. A. Juranville, *Lacan et la philosophie*, Presses Universitaire de France, Paris, 1984, pp. 276-286.

13. R. Harari, *Seminario: Neurosis, psicosis, perversiones, sublimación. Estructuras, puntuaciones*, Mayéutica: Institución psicoanalítica, Edición fotocopiada para los participantes del Seminario, Buenos Aires, 1988.

14. P.A. Martin, *Manual de terapia de pareja*, Amorrortu editores, Buenos Aires, 1983.

15. *Ibid.*, p. 18.

16. *Ibid.*, cf. pp. 19-26.

17. *Ibid.*, cf. pp. 26-28.

18. *Ibid.*,

19. *Ibid.*,

20. *Ibid.*,

21. Fritz Perls,

3

La sexualidad humana

Cuando los padres no cumplen con su responsabilidad ante Dios, la iglesia debe encarar la adecuada orientación sexual de los niños, los adolescentes y los jóvenes. Cuando los padres cumplen cabalmente su función, la iglesia los debe acompañar. Para que la tarea sea eficiente, es necesario que haya un sano equilibrio entre la libertad que permitimos y los límites que imponemos.

La revelación divina expresa la necesidad de límites, de un ordenamiento moral que haga posible la plenitud de vida. Pero sin libertad no hay salud mental, tampoco la hay si no existen los límites. Pero la libertad no debe confundirse con el libertinaje, ni los límites con la tiranía irracional de los padres sobre los hijos.

Para Freud la salud mental consiste en la «capacidad para amar y trabajar». Los dos verbos de la lengua original, el alemán, podrían traducirse por gozar y producir. Luego la salud mental se juega en la conjunción del goce y de la producción. Lo que crea el deseo es la prohibición. Lo dice San Pablo en su Epístola a los Romanos: «Yo no conocí el pecado sino por la ley; porque tampoco conociera la codicia, si la ley no dijera: No codiciarás» (7.7). El texto paulino expresa la dialéctica: prohibición-deseo. En la lucha entre la tesis (prohibición) y la antítesis (deseo), hay que encontrar una síntesis. Las cuestiones que se plantean para arribar a una síntesis son: ¿Hasta dónde debe llegar la libertad? y ¿cuáles son sus límites? ¿Quién fija los límites?

La Biblia y la sexualidad

La Biblia es el fundamento de la fe y de la ética cristiana. Ella nos sirve de apoyo y orientación para nuestro diario vivir. ¿Qué nos dice la Biblia sobre la sexualidad? Nos dice muchas cosas importantes; el problema fundamental es determinar cual es la correcta interpretación de los textos. Aquí surge el problema hermenéutico. Para mí es claro de que no existe una hermenéutica, ni una exégesis químicamente pura y sería una arrogancia de mi parte pretender que mi enfoque es el correcto y suponer que los que no piensen como yo están equivocados. Como Juan Wesley, digo: Pienso y dejo pensar. Para mi lo más importante es el hecho real de que pienso y, además, que no tengo temor de poner por escrito lo que pienso.

La verdad solo puede ser dicha a medias, porque aunque tengamos el sano propósito de no mentir, el inconsciente puede jugarnos una trampita. Nadie escapa a esa realidad. Por eso es el Señor el único que puede decir: «Yo soy la verdad».

Para todos nosotros, que no pretendemos ser dioses, es claro que lo inconsciente colorea nuestras interpretaciones sin que nos demos cuenta. Cada uno encuentra en la Biblia lo que quiere encontrar y jamás encontrará lo que no desea encontrar.

Algunas personas al parecer muy religiosas, parecerían abochornarse de su sexualidad. No se atreven siquiera a mencionar por su nombre lo que Dios, nuestro Señor, no tuvo vergüenza alguna en crear. En el libro del Génesis se relata la creación del sexo y de la sexualidad. El sexo para los animales, la sexualidad para los seres humanos, creados a imagen y semejanza de Dios. En el animal se trata de un destino biológico (instinto). En el ser humano se trata de un impulso vital, de una vicisitud física, psicológica y espiritual, que nace con nosotros y que solo la muerte podrá destruir. Según el relato bíblico Dios crea al hombre y le ordena multiplicarse y señorear sobre los demás seres de la creación, los cuales, obviamente, también tendrán que multiplicarse. A todos concede los elementos necesarios para su multiplicación: la sexualidad para los humanos, el sexo para los animales.

Los animales no necesitan educación sexual, pues todo está programado instintivamente. En el humano hay necesidad de aprendizaje. Pero en el niño que pregunta ya hay un saber sobre la sexualidad y también lo hay en el que no se anima a preguntar. Cuando el niño pregunta es porque sabe que hay algo que no sabe.

Cuando no pregunta, generalmente, es porque sabe que su pregunta no va a ser bien recibida. El saber acerca de la existencia de algo que no se sabe y el deseo de saberlo, hacen la esencia de lo humano. El animal no necesita saber, actúa instintivamente por cuanto está esclavizado a un destino biológico. No puede hacer otra cosa de lo que hace; en otras palabras, no puede mentir. El hombre puede elegir lo que hace y cómo hacerlo. Puede mentir, hasta puede decir la verdad fingiendo que miente. La libertad tiene muchos desfiladeros para ofrecer al ser humano. Ante la prohibición se enfrenta con varias opciones; cada una tiene sus riesgos y sus consecuencias. Y también sus desafíos.

La Biblia nos habla de la sexualidad de tapa a tapa. Algunos no lo ven porque no lo pueden ver, porque el dualismo griego colorea no solo su interpretación sino también la elección de los textos bíblicos a ser considerados. Algunos pasajes no son tomados en cuenta o se los «espiritualiza». Un ejemplo de «espiritualización» es esa maravillosa colección de epitalamios nupciales conocida por el nombre de Cantar de los Cantares. Respecto a su interpretación alegórica, tenemos el derecho de tomar este libro de la Biblia como lo que es, el lenguaje de los enamorados, el lenguaje dado por Dios a los enamorados. Si algo nos debe producir rechazo, es escuchar a una mujer decir, hablando a Jesucristo: «Que me besen los besos de tu boca» o «su mano izquierda está bajo mi cabeza y su derecha me abraza», mientras que es más normal y aun edificante oírla decir esto hablando de su novio o de su esposo.

Breve estudio de Proverbios 5.18,19

No es posible, en tan corto espacio, hacer un estudio exhaustivo de este importante texto. Pero voy a ofrecer algunas ideas. Los versículos mencionados dicen así: «Alégrate con la mujer de tu juventud, como cierva amada y graciosa gacela. Sus caricias te satisfagan en todo tiempo, y en su amor recréate siempre». Me voy a limitar a enunciar algunas ideas que destilan del texto:

- La Biblia no desconoce la pasión ni el amor erótico. No tendría sentido alguno hacer una interpretación

alegórica del texto. Este se refiere específicamente a la
satisfacción erótica del deseo, a la búsqueda del goce
sexual.

- No podemos suponer que Salomón, a quien se atribuye
la autoría del libro de los Proverbios, careciera de
experiencia con las mujeres. Según el testimonio bíblico tuvo setecientas esposas y trescientas concubi-
nas. Sin embargo presenta la unión monogámica como
la relación ideal: «Alégrate con la mujer de tu juventud». Parece un consejo a los jóvenes que podría
enunciarse así: «Participa con tu mujer de la alegría de
vivir a través del encuentro sexual».

- Este es uno de los textos que reivindica el lugar de la
mujer en el comercio sexual. No existen en la Biblia
alabanzas a la virginidad o al celibato. Solo el dualismo
griego, enquistado en nuestra cultura, hace que algunos vean lo que quisieran que existiera. En los tiempos
bíblicos, la mujer judía no era valorada por su virginidad, sino por su maternidad. El tabú de la virginidad
es algo ajeno a la realización humana que propone la
Biblia. Un caso que no deja lugar a dudas es lo que
ocurre con la hija de Jefté. Ante su muerte inminente,
ruega que se le conceda unos días de vida para poder
«llorar su virginidad». Las alabanzas a la virginidad y
al celibato no tienen un fundamento bíblico textual.
Lo tiene, sin embargo, en el dualismo griego. Volviendo al texto salomónico que nos ocupa, vemos
que el libro de los Proverbios se escribió en el contexto de una sociedad patriarcal. A pesar de ello el
autor presenta a una mujer activa en el acto sexual.
Se trata de una mujer que acaricia de tal manera que
satisface al hombre y, obviamente, ella se satisface
también.

- Este texto está en clara oposición a la actitud de
algunos neuróticos religiosos que se avergüenzan de la
sexualidad que les impulsa a buscar satisfacción.

- El texto salomónico nos dice, además, que el goce sexual no debe ser una experiencia ocasional; lo presenta como una manifestación humana perenne: «Te satisfagan en todo tiempo». Esto no implica que sea posible estar haciendo el acto sexual todo el tiempo. La satisfacción de la sexualidad no se logra solo a nivel genital. Se puede depositar mucha libido sobre una charla entre marido y mujer, en compartir una tarea y, ¿por qué no?, en una actividad religiosa. Aquí vemos de nuevo la diferencia entre el sexo que corresponde al animal, y la sexualidad propia del ser humano. Recuérdese que la libido es una energía vital, un invento de Dios y todo lo que Dios hace, lo hace para bien. La experiencia y la enseñanza de Salomón nos muestra que se puede hacer el sexo (acto genital) con mil mujeres, pero solo se puede hacer el amor con una. Igualmente una mujer al unirse genitalmente con muchos hombres no puede expresar cabalmente su sexualidad. Sin amor no hay plena sexualidad, aunque haya sexo. Pero el sexo no alcanza para humanizarnos.

- Cuando dice «en todo tiempo», el texto salomónico quiere decir todo el tiempo. El animal tiene deseos sexuales solo cuando está en celo, a fin de cumplir su función reproductora. Cuando no están en celo, los animales no procuran la cópula. El humano es el único ser de la creación que puede tener actividad sexual permanente. Esto es así porque la función de la sexualidad no se agota en la reproducción de la especie. Por eso, el deseo no se agota en la mujer al llegar la menopausia. Muy frecuentemente este se acrecienta al desaparecer el miedo al embarazo. No obstante, la represión de la sexualidad durante la infancia puede encontrar en la menopausia una excusa para intentar la «jubilación», sin júbilo, con mucha frustración, tanto para la dama como para su infeliz esposo. La

sexualidad nos acompaña toda la vida, desde que
estamos en el moisés, como bebitos, hasta que nos
llevan al sarcófago.

- Salomón aconseja a cada hombre y, obviamente, a
cada mujer: «en su amor recréate siempre». Esto puede
entenderse como re-creación, es decir, una nueva
creación permanente en la vida conyugal en su totalidad. Una vida que se renueva día a día en el encuentro
de la pareja en permanente renovación. Una pareja
re-creativa asegura su permanencia como tal. En una
segunda acepción se puede pensar en la recreación
como una diversión, como un placer. Podemos concluir afirmando que sin re-creación la recreación es
siempre pasajera. En la recreación el placer logrado
es siempre inferior al esperado. Con la re-creación
permanente en el amor, siempre hay algo nuevo;
siempre hay un plus de goce, sea físico, psicológico
o espiritual. Es válido el consejo salomónico para la
pareja humana: «En su amor recréate siempre».

Una visión del Nuevo Testamento

Haremos ahora una brevísima incursión en el Nuevo Testamento
para ocuparnos del misticismo de San Pablo. Para el Apóstol de los
gentiles, el sexo puede resultar denigrante, y la sexualidad la más
elevada actividad humana. Del sexo a la sexualidad, de lo ridículo
a lo sublime, de lo pornográfico al amor, esa es la disyunción paulina.
En la primera Epístola a la iglesia de Corinto Pablo polariza el
sexo y la sexualidad. En el capítulo 6 versículos 15 y 16 se refiere
a la relación con una prostituta como un medio de «desgracia», ya que a través de la intimidad sexual el hombre se hace
solidario de todos los pecados de la prostituta. En el capítulo 7
versículos 12 al 14 se refiere a la sexualidad como un medio de
gracia mediante el cual un cónyuge no creyente, puede participar
de la comunión con Cristo mediante la comunión sexual con su
cónyuge creyente.

Estos textos, que desgraciadamente no son muy conocidos, son la mayor expresión del misticismo paulino. San Pablo le concede a la unión sexual un valor semejante al alimento del cuerpo. Así como algunos cristianos, especialmente en Semana Santa, se abstienen de comer ciertos alimentos para dedicarse sosegadamente a la oración, también se puede hacer ayuno sexual con los mismos objetivos. Aunque Pablo aclara que es necesario que los dos estén de común acuerdo para realizar el ayuno sexual. En un siglo donde reinaba el machismo de una sociedad patriarcal, San Pablo afirma que el hombre y la mujer tienen los mismos derechos y deberes en el comercio sexual. Así como la mujer no es dueña de su propio cuerpo, sino el marido, el hombre tampoco es dueño de su cuerpo porque este le pertenece a su mujer. Sugiero la cuidadosa relectura de 1 Corintios 7.

Reflexiones finales

- No encontramos fundamento alguno en la Biblia para desvalorizar a la sexualidad, como hacen algunos en nombre de la religión. Todo lo contrario; la Biblia nos presenta a la sexualidad como un «invento» de Dios, quizás lo mejor que se le pueda haber ocurrido.
- Ciertamente en la Biblia se establecen límites, pero... ¿se refieren al sexo o a la sexualidad? ¿Qué determina nuestros usos, costumbres y tradiciones? El Registro Civil comenzó a existir en la mayoría de nuestros países latinoamericanos en el siglo diecinueve. Los matrimonios por la iglesia comenzaron a realizarse a partir del siglo trece. No se encuentra en la Biblia ninguna ceremonia de casamiento. En el Antiguo Testamento se establece: «El hombre dejará a su padre y a su madre y se unirá a su mujer y serán una sola carne». Jesús añadió: «Lo que Dios unió no lo separe el hombre». Pero, ¿cuándo podemos estar seguros de que Dios ha unido a una pareja?

- Las religiones no han logrado mantener el sexo y la sexualidad fuera del alcance de los solteros. ¿Cómo serán las costumbres sexuales más allá del año 2000? Los cambios se hacen cada vez más acelerados. El informe de Alfredo Kinsey sobre el comportamiento sexual de la mujer norteamericana afirma, que en 1953 el treinta y tres por ciento de las mujeres habían tenido relaciones sexuales prematrimoniales. En 1975 la revista Redbook hizo una encuesta entre cien mil mujeres solteras menores de veinticinco años y se supo que el noventa por ciento de ellas habían tenido relaciones sexuales. Cada una de ellas puede haber cometido un error moral. Pero lo que debemos notar es que el código principal del cristianismo, abstinencia fuera del matrimonio, no regula la conducta de la mayoría de las personas no casadas. Lo que más necesita la iglesia de nuestros tiempos es una pastoral matrimonial adecuada, que incluya al noviazgo, como su fase previa. No pretendo, en esta breve exposición apuntar hacia una pastoral del amor, la sexualidad y el matrimonio, que sea válida para todos los tiempos y culturas. Solo deseo crear inquietudes para que se continúe trabajando sobre la pastoral de la familia.

- La canalización de la sexualidad y del sexo puede ser un medio de gracia o de desgracia. Lamentablemente muchas veces es un medio de desgracia. La gracia de Dios o la desgracia humana determinan la vida del individuo, la familia y la sociedad.

Las costumbres sexuales están cambiando. Pero cada ser humano es responsable ante Dios por lo que hace, bueno o malo. «Todo lo que el hombre sembrare, eso también segará», dice la Biblia, en Gálatas 6.7. Lo que cada uno decida puede conducirle a la realización personal o a su autodestrucción. Además de dañar a otros. Nadie quiere el mal para sí; entonces no debe desearlo para su prójimo. «Amarás a tu prójimo como a ti mismo» (Marcos 12.31), nos dice el Señor. Y podemos añadir: Si lo haces les irá bien a los dos.

La Imago Dei y el complejo de Edipo

Cuando Dios creó al ser humano lo hizo a su imagen, en latín, *Imago Dei*. Pero esa imagen es simbólica, no es real. Es decir, no somos dioses, aunque algo de Él está en nosotros. No podemos concebir a Dios con complejo de Edipo, porque no es humano. Fue Él el que colocó en nosotros el complejo del que nos habla el mito de Edipo. ¿Para qué? Supongo que para asegurar nuestra identidad sexual.

No sabemos mucho sobre el significado teológico de la *Imago Dei*. M. Flick y Z. Alszeghy, teólogos católicos, nos dicen en su obra *Antropología teológica*: «El Concilio Vaticano II es el primer concilio que ha tratado específicamente el tema de la imagen de Dios en el hombre, llegando a colocar esta doctrina en *Gaudium et spes* (Constitución pastoral sobre la iglesia en el mundo contemporáneo)».[1] Lo que he leído al respecto, en el mundo protestante, es muy semejante a esa esencia moral que Freud encuentra en el normal desarrollo de la sexualidad. Si bien no está muy desarrollado el concepto de Imano Dei, sí lo está el de las pulsiones. El montaje de la pulsión, que siempre es parcial, incluye una fuente, una presión, una meta o fin y un objeto. No vamos a entrar en estas cuestiones. Debo decir que hay muchos tipos de pulsiones; además de las sexuales, existe la pulsión epistemofílica (deseo de saber), la pulsión de muerte, etc.

La imago Dei representa la naturaleza moral del hombre, porque fue creado a imagen y semejanza de Dios, que es esencialmente moral. Dios, encarnado en Jesucristo, no pecó, para presentarse ante nosotros como el modelo, el paradigma del ser humano pleno.

El complejo de Edipo por un lado representa lo más bajo del hombre; por ejemplo, como dijo Platón, hace más de dos mil años, en su obra *La República*: «Que uno sueñe que está teniendo relaciones sexuales con su propia madre». Pero no todo es negativo en el complejo de Edipo; por algo lo creó Dios. En él se expresa también la libertad. Si el hombre no fuese libre para elegir entre el bien y el mal, no sería plenamente humano. Sería un animal más. Solo el hombre sabe que va a morir. Solo el hombre tiene conciencia de pecado. Solo el hombre siente culpa, a veces tan intolerable, que conduce al suicidio, para escapar al horrible sufrimiento. Solo el hombre tiene necesidad de castigo para pagar su culpa. Y, cuando no es castigado, se destruye a sí mismo con una enfermedad psicosomática o muere en un accidente provocado inconscientemente.

El ser humano sufre una gran tensión existencial. Por un lado tiene la oportunidad de hacer lo que le dé la gana y, si se cuida y no lo descubren, no pasa nada. Pero al mismo tiempo, el ser humano relativamente sano, no se permite hacer el mal. Por eso decía San Agustín: «Ama y haz lo que quieras». Si uno ama, no puede hacer el mal. Lo dice San Pablo también: «El amor no hace mal al prójimo; así que el cumplimiento de la ley es el amor» (Romanos 13.10). El animal no necesita animalizarse, porque no se puede desanimalizar; pero el hombre puede, en su relativa libertad, deshumanizarse. Es por eso que el ministerio de la iglesia debe apuntar a la humanización del ser humano. Para lograrlo, debe utilizar tanto los recursos de la fe, como los instrumentos de la cultura. Esta realidad hizo nacer en este siglo la Psicología Pastoral. Ya he señalado que los perversos, psicópatas, o sociópatas (por todos esos nombres son conocidos), no sufren de sentimientos de culpa. Otros no sienten culpa consciente, pero la tienen en lo inconsciente. El problema es bien complejo.

Es necesario profundizar el concepto de la *Imago Dei*, que es básicamente la conciencia moral y la presencia en nosotros del amor, el camino más excelente, según 1 Corintios 13; la primera expresión del fruto del Espíritu Santo, según Gálatas 5. En el año 1974 yo ya tenía esa preocupación. En esa época afirmaba que para que la evangelización fuese eficaz, era necesario comenzar por nosotros mismos. El tercer capítulo de un libro que escribí ese año lleva por título: «El hombre como imagen de Dios». Dicho capítulo trata los siguientes temas:

- Definición de la imagen de Dios.
- La imagen de Dios en el creyente.
- La imagen de Dios en los no creyentes.

- La imagen de Dios y la evangelización.
- La imagen de Dios y la vocación evangelizadora.
- La posibilidad de completar la imagen.[2]

Como he reflexionado mucho en otro lado sobre la *Imago Dei*, y no dispongo de mucho espacio, voy a referirme a las pulsiones para después entrar a considerar el complejo de Edipo. Sumando el aporte de Freud y de Lacan tenemos cuatro pulsiones fundamentales; son ellas: La oral, la anal, la escópica y la invocante. La primera fuente de placer sexual del ser humano es la boca, y el chupete es una especie de masturbación primaria. ¿Se han dado cuenta de que los animales no se chupan el cuerpo a falta de chupete? El bebé humano, cuando no le dan chupete busca un sustituto, generalmente el dedo. Luego Dios establece una clara diferencia entre el animal y el ser humano. Por eso hemos dicho que Dios creó el sexo para el animal y la sexualidad para el ser humano. Pero no debemos confundir sexualidad con genitalidad. La sexualidad oral no es genital, tampoco las dos fases que le siguen, la anal y la fálica. En la etapa anal la fuente de placer está en la defecación. Si bien estas pulsiones son superadas por la fase fálica, la boca y el ano siguen siendo, por decisión divina zonas erógenas. La pulsión oral se expresa en el adulto en el beso, en fumar, beber, comer en exceso, etc. Hay muchos a los que les gusta llevar libros o el diario al baño para leer allí y no saben por qué. Es Lacan el que añade la pulsión escópica, palabra rara, pero si pensamos en un telescopio ya no es tan rara, *escopeo* en griego significa «mirar». La mirada puede tener mucho de sexualidad. Pregúntenle a los enamorados que se miran a los ojos, ellos saben mucho acerca de la pulsión escópica, solo que no sabían que se llamaba así. La pulsión invocante se expresa a través de la voz. ¡Cuánto se puede hacer con la voz! Volvemos a insistir en que estamos hablando de sexualidad y no de genitalidad. Vimos que la sexualidad puede ser un medio de gracia (1 Corintios 7), o de «desgracia» (1 Corintios 6). ¿Qué ha querido hacer Dios con la sexualidad? Él puso en el hombre la pulsión sexual como fuerza constante, y en el animal el instinto sexual como fuerza inconstante. Es bien sabido que el instinto animal conduce a la cópula solo cuando la hembra está en celo. Podríamos decir que el humano puede estar permanentemente en celo por la constancia de la pulsión; el animal no puede. Dios lo ha determinado así, ¿por qué? ¿Qué tiene que ver la *Imago Dei* en todo esto?

El complejo de Edipo parte de un mito. Pero el mito no significa necesariamente falsedad. Es una manera muy particular de aprehender una verdad que de otra manera sería imposible hacerlo. El mito siempre da cuenta de un origen. En este caso da cuenta de la verdad universal de que los niños tienden a apegarse más a sus madres y las niñas a sus padres. Aunque a veces el Edipo puede darse invertido y hasta doble. Pero lo común es que el «enganche» sea con el progenitor del sexo opuesto. La pulsión es irracional y el niño no entiende lo que le pasa. Recordemos que la sexualidad infantil no es genital, es una corriente de ternura que conduce a competir con el progenitor del mismo sexo. La criatura va a procurar meterse en la cama con sus padres y si es posible en el medio, para separarlos. Recuerdo lo que me contó, un poco angustiada, una señora hace años; dijo: «La nena (de seis años) se metió en nuestra cama, se colocó entre mi marido y yo, y entonces le dijo a su padre: "Papito... ¿quién es esta señora que está en nuestra cama?"» Supongo que esta problemática es muy conocida por todos los padres.

Volvamos al mito de Edipo. Este tiene su origen en Grecia y Sófocles,[3] un escritor que vivió cuatro siglos antes de Cristo, lo conservó en su tragedia titulada Edipo Rey. Es bueno leer la obra porque en ella se pone de manifiesto lo inconsciente. Tiresias, el no vidente, lo ve todo. Edipo, el rey, que es vidente, actúa como si fuera ciego. No ve nada. Para los que no han leído esta tragedia griega, les cuento a grandes rasgos. Layo, rey de Tebas, se casa con Yocasta y tiene un hijo. Cuando Layo consulta al Oráculo, recibe una terrible información sobre lo que acontecerá: Su primogénito matará a su padre y se casará con su madre. Con estos presagios Layo decreta la muerte de su hijo. Un criado recibe la orden de matarlo. Este lo lleva al bosque y, por lástima no lo mata; lo deja atado a un árbol por los pies. De ahí su nombre, Edipo significa pie hinchado. Un campesino lo rescata y el niño llega a la casa del rey de Corinto quien lo adopta. Siendo hombre, Edipo también va a consultar al

Oráculo acerca de su porvenir. Este le responde que su destino es matar a su padre y casarse con su madre. Ante tan horrible anuncio y creyéndose hijo de los reyes de Corinto, no regresa a palacio. Comienza a vagar por el mundo. Cerca de Tebas se encuentra con un hombre con quien discute. Pelean y lo mata; también mata a todos sus siervos, excepto a uno que logra escapar. Llega a Tebas y encuentra la ciudad asolada por un monstruo. Edipo logra vencer a la bestia y liberar a la ciudad. El pueblo agradecido lo proclama rey y se casa con Yocasta, la reina viuda, sin saber que esta era su madre. La pareja tiene cuatro hijos, entre ellos Antígona que va a ser protagonista de otra de las tragedias de Sófocles que se han conservado.

Los dioses se enojan por causa del incesto que se ha consumado y envía una epidemia sobre Tebas. El rey procura averiguar por qué los dioses están enojados. Se dice que se debe al asesinato de Layo. Entonces Edipo ordena una exhaustiva investigación. Como resultado final, el hombre que había escapado cuando Layo fue muerto, a instancias del propio rey, da el nombre del asesino. Edipo, al saber que ha matado a su propio padre, y que se ha casado con su madre, se saca los ojos, es decir, se hace no vidente como Tiresias. La reina se ahorca. Se trata de una pura tragedia.

¿Por qué existe el complejo de Edipo como realidad universal? ¿Es acaso una creación divina? ¿Qué tiene de positivo? ¿Tiene algo que ver con la *Imago Dei*? ¿Tiene algo que ver con la caída? ¿Es bueno, malo o qué?

No pretendo dar una respuesta a todas estas preguntas. No obstante, quiero comentar algunas ideas que puedan resultar útiles. Veamos los siguientes puntos:

Identidad sexual. Cuando el Edipo viene orientado hacia el progenitor del sexo opuesto facilita la identidad sexual. Cuando la elección cae sobre el progenitor del mismo sexo, hay riesgo de una elección homosexual, al llegar a la pubertad y aun antes. Pero no siempre es así; un hombre fijado a su padre puede buscar una mujer que tenga las características de este.

Corrientes amorosas. Freud reconoce que en el ser humano existen dos corrientes amorosas, una arcaica que llama corriente tierna o cariñosa y otra más tardía que denomina corriente erótica. El amor es la suma de ambas corrientes. La corriente de ternura sola no alcanza; tampoco alcanza el puro erotismo. De ahí podemos afirmar que un hombre que desee elegir una buena esposa, debe procurar que en algo se parezca a su madre —en la manera de ser, en lo físico o en otro rasgo cualquiera que la pueda relacionar con ella, la manera que cocina por ejemplo— para que ella le despierte los sentimientos de ternura que su madre le despertaba en la infancia. Pero al mismo tiempo, la esposa debe ser lo suficientemente diferente de la madre para poder hacer el amor con ella. Muchos fracasos sexuales en la pareja están determinados por estas dos razones. Lo que he afirmado sobre el hombre es válido también para la mujer.

El Edipo. El Edipo es mucho más complicado para la mujer que para el varón. Esta tiene que cambiar de objeto amoroso y de zona erógena, mientras que el varón se «engancha» con mamita y no necesita cambio alguno, hasta que sea grande. Al principio de su obra Freud creía que el Edipo era idéntico en el hombre que en la mujer. Fue en la década de los veinte y especialmente en la de los treinta que se ocupó específicamente de la sexualidad femenina. Aunque ya en 1905, en sus *Tres ensayos sobre la sexualidad*, había hecho alguna alusión a que los diques morales, en la pubertad, son más intensos en las niñas que en los niños. Estas son sus palabras:

> Es cierto que ya en la niñez son reconocibles disposiciones masculinas y femeninas; el desarrollo de las inhibiciones de la sexualidad (vergüenza, asco, compasión) se cumple en la niña pequeña y con menores resistencias que en el varón; en general, parece mayor en ella la inclinación a la represión sexual.[4]

En la misma obra, páginas 201 y 202, se refiere a las zonas rectoras de la sexualidad en el hombre y en la mujer.

Cambio de zona erógena en la mujer. El cambio de zona erógena en la mujer se debe a que ambos sexos pasan por la fase fálica. Las niñas suelen pensar que el «pitito» les va a crecer. Esto se debe a la gran sensibilidad del clítoris en esa etapa. Muchas niñas intentan orinar manteniéndose en pie, como el hermanito o como papá. A esto Freud le ha llamado «envidia del pene». El varón, al ver una nena por primera vez supone que se lo han cortado y teme que le pueda ocurrir lo mismo. Estamos en presencia del complejo de castración. Freud sostiene que el varón supera el primer momento del Edipo, que en la mayoría de los chicos es fortísimo hacia los cuatro años, por miedo a la castración. Por el contrario, la niña entra en el Edipo por sentirse castrada cuando se da cuenta de que no le va a crecer. Entonces se vuelve hacia al padre que lo tiene y siente cierto menosprecio por la madre que no se lo dio. Es decir, el varón sale del Edipo por la misma razón que entra la mujer, el complejo de castración. En la mujer que ha superado el Edipo, la zona erógena fundamental pasa del clítoris a la vagina. Entonces es una adulta. Pero adulta no quiere decir grande. Hay muchas mujeres que llevan su inmadurez sexual durante toda su vida.

Sexualidad infantil. Quizás alguien, que sigue creyendo en la inexistencia de la sexualidad infantil estará escandalizado al leer todo lo que he escrito hasta ahora. Si el incesto es imposible... ¿por qué la Biblia lo prohíbe? No se decreta la prohibición de un delito que no existe. En el capítulo 18 de Levítico leemos:

> La desnudez de tu padre, o la desnudez de tu madre, no descubrirás; tu madre es, no descubrirás su desnudez (Levítico 18.7) ... la desnudez de tu hermana, hija de tu padre o hija de tu madre, nacida en casa o nacida fuera, su desnudez no descubrirás (Levitico 18.9).

Las prohibiciones continúan para las más diversas expresiones del incesto. Sería bueno leer todo el capítulo 18 de Levítico. Parecería que esta tendencia al incesto es una consecuencia de la caída. Luego en cada ser humano hay una dialéctica interna: La imago Dei vs. la tendencia al pecado.

Mito moderno. Freud creó, sin saberlo, un mito moderno, el del hombre primordial de la horda primitiva, a partir de ideas de Carlos Darwin. Este mito aparece en su obra Totem y Tabú. Freud creyó que se estaba refiriendo a un hecho histórico. Especialistas posteriores han probado que el comportamiento sexual del hombre primitivo no fue como lo presentó Freud. No obstante, Jacques Lacan reconoce el aporte freudiano como un mito. Justamente este mito da cuenta del ingreso del hombre en la cultura. Es decir, sin prohibición del incesto no hay cultura. El mito también explica la necesidad de la Ley, de un ordenamiento moral para el hombre.

Acusaciones contra la iglesia. La iglesia ha sido acusada de ser oscurantista y represora de la sexualidad y no siempre los acusadores han estado equivocados. Para algunos la única manera de pecar es a través de los genitales. En el mundo en que vivimos hay muchos que no se creen pecadores por pagar sueldos de miseria a sus empleados. Para ellos, ser buenos cristianos, es únicamente apartarse del adulterio. En lo demás, vale todo. La iglesia en todas partes del mundo necesita revisar su acción pastoral, teniendo en cuenta que el propósito de Dios es la redención de todo el hombre y de todos los hombres.

Entre los destinos de la pulsión hay dos que nos interesan especialmente, si es que queremos la renovación del campo pastoral; estas son: La represión y la sublimación. El pastor Oskar Pfister (1879-1956), doctor en Teología, profesor del Seminario Evangélico de Zurich, Suiza, y uno de los más cercanos colaboradores de Freud, afirma:

> Provocar la sublimación es una misión sagrada del educador. Pero hay que llenar una condición poco observada, que es conseguir el dominio y no la represión de las pulsiones primitivas; sin su cumplimiento, en determinadas circunstancias, caerá la personalidad en un desierto afectivo y será víctima de numerosas enfermedades psíquicas y físicas.[5]

En la misma obra añade:

> Si en el encuentro entre lo moral y lo primitivo, o lo inmoral refinado, triunfan los últimos, se puede presentar

una repulsión de las funciones sublimadas. Llamo a este proceso «desublimación». Todos conocen los hechos que tengo a la vista; un hombre educado con gran severidad sometido hasta un momento a la autoridad paterna, puede de pronto sacudir el yugo que lo oprime y dedicarse a una vida crapulosa. Esta suerte experimentan por desgracia muchos maestros y pastores con sus hijos ... Eliminan de un golpe de su cabeza las normas antiguas que le servían para llevar una vida ordenada. En el análisis se descubre un gran número de fantasías de odio y de venganza cuyo sentido y fundamento se encuentra en el inconsciente. La vida de tales personas es un acto sistemático de venganza sin que consideren cuál es la persona afectada por ella.[6]

Represión y sublimación. Debemos decir algo más sobre los conceptos de represión y sublimación aunque en una muy apretada síntesis. La represión primaria es la represión de las representaciones psíquicas de las pulsiones, a las cuales se les niega el acceso a la conciencia. Es decir, «se las olvida», pero están muy bien guardadas y activas en lo inconsciente. La represión propiamente dicha —o si se quiere una segunda fase de la misma— es una fuerza opresiva posterior sobre las ramificaciones psíquicas de la representación reprimida. El síntoma es definido por Freud como el retorno de lo reprimido. Esta sería la tercera fase de la represión, o sea su fracaso. Lo que Pfister llama «desublimación» es muy similar al retorno de lo reprimido. Esto se ve muy claro en el síntoma histérico, por ejemplo: parálisis, anestesia, ceguera, mudez, impotencia sexual, etc.; sin embargo, el órgano afectado está somáticamente sano. Se trata de una enfermedad funcional. El órgano está sano, pero no funciona bien. El paciente sufre como si el órgano estuviera enfermo. La sublimación es un concepto tomado de la Química, esta se produce cuando un cuerpo pasa al estado gaseoso, sin haber pasado por el líquido. Freud se refiere a la sublimación a lo largo de toda su obra, pero no escribió un trabajo sobre ella; sí lo hizo sobre la represión. Para concretar me voy a limitar a reproducir la definición del Diccionario de Psicoanálisis de Laplanche y Pontalis:

Proceso postulado por Freud para explicar ciertas actividades humanas que aparentemente no guardan relación con la sexualidad, pero que hallarían su energía en la fuerza de la pulsión sexual. Freud describió como actividades de sublimación principalmente la actividad artística y la investigación intelectual. Se dice que la pulsión se sublima, en la medida en que es derivada hacia un nuevo fin, no sexual, y apunta hacia objetos socialmente valorados.[7]

Las disfunciones sexuales

La sexualidad deficiente conspira contra la estabilidad del matrimonio. La libido no encauzada debidamente, se puede transformar en agresividad, siendo los niños los que más sufren por causa del desajuste sexual entre sus padres. Las disfunciones sexuales suelen conducir a los celos patológicos, la desconfianza, la infidelidad y el divorcio.

Aunque hay quienes tienen vocación de mártires. Hay casos de mujeres que, después de treinta o cuarenta años de casadas, no saben lo que es un orgasmo; ni siquiera reciben afecto. Por lo general, son personas muy tradicionales, incapaces de acceder al orgasmo de otra manera. Un amor maduro puede convivir con una disfunción real o psicógena, sobre todo, cuando la parte afectada, movida por el amor a su pareja, hace todos los esfuerzos médicos y/o psicológicos para salir de su situación.

Muchas veces las dificultades sexuales de la pareja son solo la punta del «iceberg», que oculta su parte más profunda y peligrosa, la falta de amor. Lo que hundió al Titanic, no fue la pequeña parte del témpano de hielo que se mostraba sobre las aguas; sino los 7/8 de su volumen escondido bajo las aguas. Así, en la clínica pastoral, me he encontrado con hombres que son impotentes con su mujer, pero no con otra. ¿Por qué? Porque la pareja ha tenido una falla en la comunicación afectiva, en el amor. Amor, que para ser tal, debe ser compartido a todos los niveles: Alma, mente y cuerpo. También he conocido casos de mujeres aparentemente normales, que amaban a sus maridos, que comenzaron a sufrir de vaginismo al enterarse de la infidelidad de sus esposos.

No hay dos casos iguales. Por lo tanto, no debemos meter en la misma bolsa a todos los que sufren alguna disfunción sexual. Algunas personas necesitan ayuda ginecológica o andrológica. La mayoría, necesita ayuda psicológica y espiritual. Reitero la fórmula que presenté en el capítulo anterior: CAS + ASPIA = ARMONÍA CONYUGAL.

Las disfunciones sexuales producidas por problemas físicos, neurológicos, hormonales, etc., suelen ser las menos frecuentes. La mayoría de estas dificultades son causadas por problemas psicológicos, afectivos o espirituales.

No es posible resumir un tema tan complejo en tan corto espacio. Sencillamente voy a dar algunas ideas a partir de una bibliografía menos conocida en el mundo evangélico. Me refiero a los trabajos de Masters y Johnson. Estos investigadores, un ginecólogo y una psicóloga, han producido dos obras fundamentales: *La respuesta sexual humana*[8] y la *Inadecuación sexual humana*.[9] En la segunda obra estos autores sostienen que la causa principal de las disfunciones sexuales es el «miedo». Entre las disfunciones más comunes se encuentran:

Impotencia

Una mujer normal necesita, después de los juegos amorosos previos, entre 5 y 15 minutos de penetración para llegar al orgasmo. Las hay muy rápidas que necesitan menos de cinco minutos; pero las hay lerdas que necesitan más de 15, sin dejar de ser normales. Recuerdo a una hermana en la fe que vino a verme muy angustiada. Después de muchos rodeos me dijo: «Mire pastor, lo que pasa es que yo quiero mucho a mi marido, pero él es igual que un gallo, se sube y ya está».

El Dr. A. Tallaferro se refiere a los tipos de impotencia según la profundidad del trastorno. Lo divide en siete grupos, por orden de gravedad: «a) potente, pero sin sentir placer; b) potente, pero evita el coito, c) desea, tiene libido, pero no siempre erecciones; d) erección inadecuada o parcial; e) eyaculación precoz: 1) eyacula en vagina, 2) eyacula antes de la introducción; f) impotencia eréctil total, con libido; g) impotencia eréctil total, sin libido».[10]

Frigidez

Según Tallaferro, este trastorno lo padecen alrededor del 70% de las mujeres.[11] Existen varias clasificaciones. De acuerdo con la intensidad del trastorno este autor la considera de la siguiente forma: «a) incapacidad ocasional y transitoria para alcanzar el orgasmo; b) el orgasmo solo es sentido muy rara vez; c) sensación muy atenuada de placer, sin orgasmo; d) anestesia vaginal sin rechazo del coito, con libido; e) rechazo total con asco y angustia ante insinuación del acto sexual: 1) con dispareunia, 2) con vaginismo; f) falta total de interés, sin libido».[12]

La dispareunia es una relación dolorosa, sin que haya una razón física. El vaginismo es el cierre automático e inconsciente de la vagina, para la relación sexual, pero no para los dedos del ginecólogo. «Señora, usted está totalmente sana», dice el doctor. Ella desea tener relaciones, teme perder a su marido, pero su inconsciente dice, no. He conocido casos de mujeres que después de haber dado a luz varios hijos, en partos normales, no podían tener relaciones con su marido. Las causas pueden ser diversas. Pero, siempre he descubierto en mi trabajo, la presencia de una ausencia, la del amor. Esto es más común en mujeres histéricas. He tratado casos peores, prefiero guardármelos, por ahora.

Una buena relación sexual debe pasar por cuatro etapas: excitación, meseta, orgasmo y resolución. Estas etapas expresan la totalidad del ser humano como pirámide trilateral: Alma, mente y cuerpo. Para el estudio de estos temas recomiendo la lectura de la obra de dos discípulos de William Masters y Virginia Johnson, el Dr. Ed Wheat y su esposa Gaye. Ellos interpretan el pensamiento de sus maestros en una perspectiva cristiana. Su obra, que recomiendo, se titula: *El placer sexual ordenado por Dios*. Es un manual completo para la pareja cristiana que no se parece en nada a algunos «manuales evangélicos» conocidos.[13]

En estos tiempos de inestabilidad matrimonial ha aparecido una obra secular, de fácil lectura, que propugna la unión de la pareja para toda la vida. Su título es muy sugestivo: *Cómo hacer el amor con la misma persona por el resto de su vida y con el mismo entusiasmo*.[14] Su autora es sueca, también es discípula de Master y Johnson. Otra obra secular, esta más técnica, lleva por título: *La función del orgasmo*.[15]

Referencias bibliográficas

1. M. Flick y Alszeghy, *Antropología teológica*, Ediciones Sígueme, Salamanca, 1970, p. 104.
2. J.A. León, *La comunicación del Evangelio en el mundo actual*, coeditado por Ediciones Pleroma, Buenos Aires, 1974, y Editorial Caribe, Miami, 1974.
3. Sófocles, *Edipo Rey*, Editorial Ciordia, S.R.L., Buenos Aires, Ediciones La Espiga, Barcelona, 1977.
4. S. Freud, *Obras Completas*, vol. 7, p. 200.
5. O. Pfister, *El psicoanálisis y la educación*, Editorial Losada S. A., Buenos Aires, 6a. edición, 1969, p. 86.
6. *Ibid.*, pp. 86,87.
7. J. Laplanche y J.B. Pontalis, *Diccionario de psicoanálisis*, Editorial Labor, S. A. Barcelona-Madrid-Buenos Aires-Bogotá-Caracas-Lisboa-Quito-Río de Janeiro-México-Montevideo, 1971, p. 436.
8. W.H. Masters, y V.E. Johnson, *Human sexual response*, The New American Library Inc., New York, 1966.
9. Idem, *Human Sexual Inadequacy*, Bantan Book, New York, 9a. edic., 1980.
10. A. Tallaferro, *Curso básico de psicoanálisis*, Editorial Paidós, Buenos Aires, 1976, p. 291.
11. *Ibid.*, p. 290.
12. *Ibid.*, p. 291
13. E. y G. Wheat, *El placer sexual ordenado por Dios* (un manual completo para la pareja cristiana), Editorial Betania, Puerto Rico, 1977.
14. D. O'Connor, *Cómo hacer el amor con la misma persona por el resto de su vida y con el mismo entusiasmo*, Sudamericana/Planeta (editores) S.A., Buenos Aires, 9a. edic., 1987.
15. W. Reich, *La función del orgasmo*, Ediciones Paidós, Barcelona-Buenos Aires, 1981.

4

El matrimonio
y las estructuras familiares

Cada ser humano al llegar al mundo, recibe una imagen de lo que es el matrimonio según el modelo de sus padres. Pero no todo es psicológico. Cada aspirante a sujeto humano cuenta además con un capital genético, un temperamento particular, etc. En fin, cuenta con lo que Dios ha concedido a cada recién llegado. Además de los elementos innatos y constitucionales, hay que tener en cuenta las experiencias y traumas infantiles. La combinación de factores endógenos y exógenos determinarán una disposición para actuar según cierto tipo de respuesta prefijada. Es decir, a reaccionar característicamente por motivaciones inconscientes, ante los detonantes que se le presenten en la vida cotidiana.

Pero la predeterminación psicológica no implica la pluralidad, es decir, la existencia de seres humanos casi idénticos en su manera de ser y de comportarse. Por el contrario, los hijos de los mismos padres escribirán con sus vidas historias diferentes. De ahí la singularidad histórica del sujeto humano. Cuando decimos singular estamos significando que no hay plural. Seguramente debe haber varias personas que tengan el mismo nombre y apellido que usted, estimado lector. Pero el nombre no importa; lo importante es que ninguno es igual a usted en alma, mente y cuerpo. Ninguna persona puede alterar la singularidad determinada por su historia personal. Nadie puede igualarlo como sujeto. También deseo dejar bien aclarado que cada uno de nosotros es un sujeto porque está sujetado por un *tiene su propia historia, como la tiene cada familia.*

La relación de los padres con sus hijos y entre sí, determina la estructuración del psiquismo humano. Según el psicoanálisis, las personas pueden estructurarse como: Neuróticos, perversos o psicóticos, a partir de las interacciones de las criaturas con sus padres. Esta estructuración se manifestará a lo largo de toda la vida del sujeto. En el comportamiento humano se privilegia la repetición, con diferencia, de las normas de conducta estereotipadas. Aclaro que al referirme a la repetición con diferencia estoy significando la imposibilidad de la repetición idéntica. Lo que podemos lograr es la *reiteración*. Es decir, rehacer el camino teniendo en cuenta lo que dijo Heráclito, un filósofo presocrático: «Nadie puede bañarse dos veces en el mismo río».

No siempre se manifiesta la *estructura psíquica* con claridad. Por ejemplo, alguien puede tener una estructura psicótica y no brotarse, es decir, «no volverse loco» (como se dice comúnmente), porque no se han dado las condiciones propicias. Pero sus allegados se darán cuenta de que es una persona «rara». En la parábola del sembrador, nuestro Señor Jesucristo sugiere cuatro tipos de estructuración del sujeto. Un camino en tiempos de Jesús no era más que tierra apisonada, endurecida por los que le pasaron por encima. El terreno del camino no es necesariamente una tierra improductiva. Las circunstancias la han hecho improductiva, pero podría dar fruto si se modificaran esas circunstancias. Nos dice el Señor que el sembrador sembró a lo largo del camino (en griego: *parà tèn hodón*), pero no logró que en él se produjera una sola nueva vida (San Mateo 13.1-9; San Marcos 4.1-9; San Lucas 8.4-8). Un terreno lleno de espinos no es necesariamente un mal terreno; de hecho la semilla sembrada nació, pero la nueva vida fue criminalmente ahogada por las circunstancias adversas. Un terreno pedregoso no es necesariamente malo; las piedras pueden ser útiles para cercar el terreno. Cada cristiano tiene que aprender a convertir en escalera las piedras que la vida le coloca en su camino. O como dijo una vez Alberto Schweitzer:

No esperes que por hacer las cosas bien hechas alguien te va a quitar las piedras que se encuentran delante de ti; espera que te pongan, todavía, unas cuantas piedras más.

La parábola nos dice que también existe el buen terreno, o más bien varios tipos de terrenos buenos, que producen fruto en cantidad diversa. Ni en eso hay pluralidad, pues cada uno produce en cantidad diferente. Lo que deseo dejar sentado es que el propio Señor nos presenta una tipología humana, aunque no hay dos sujetos iguales, como no hay dos terrenos iguales. Pero la siembra de la santa semilla debe realizarse en todos los terrenos. «Los sanos no tienen necesidad de médico, sino los enfermos ... Porque el Hijo del Hombre vino a buscar y a salvar lo que se había perdido», nos dice el Señor (Mateo 9.12; Lucas 19.10).

El sujeto humano se enferma en familia básicamente por la carencia de amor, y es en familia que se debería curar, especialmente en la familia de la fe. Es por eso que cada congregación debería ser una comunidad terapéutica y redentora; lamentablemente, muchas no lo son. La Biblia nos dice: «Dios es amor» (1 Juan 4.8). Por lo tanto, toda persona que viva una profunda experiencia espiritual debe mostrar en su vida el amor de Dios. Es por eso que San Pablo presenta al amor como la primera manifestación del fruto del Espíritu Santo en la vida del creyente (Gálatas 5.22). ¿Quién no desea ser amado? Pero son pocos los que lo logran. ¡Cuán pocos son los que tienen la capacidad para amar!

En el capítulo anterior, me he referido a las estructuras personales de cada uno de los miembros de la pareja, y los trastornos que se pueden producir por tensiones entre estructuras de personalidad diferentes. He señalado, al principio de este capítulo, que la estructuración de cada ser humano es determinada en gran manera por sus padres. Debemos añadir, y otros familiares. Cuando uno se enferma, se enferma en familia, y es en familia que se debería curar. Como no siempre es posible la terapia familiar, toda congregación cristiana debería ser una comunidad terapéutica y redentora.

Tengo clasificados los ochocientos noventa y cuatro casos que he atendido desde 1977. Los he dividido en veinticuatro problemáticas diferentes. Conservo la historia clínica de cada uno de ellos.

Del total, doscientos ochenta y tres procuraron ayuda porque tenían
diferentes tipos de problemas familiares. Los más comunes son los
problemas de pareja. La mayoría de las veces estos problemas
conyugales están determinados por cuestiones estructurales, tanto
por las características distintivas de cada uno de los miembros de la
pareja, como de la intervención de las estructuras familiares de las
familias de origen. También hay, aunque mucho menos, diferencias
de opinión en cuanto a la educación de los hijos. En resumen, el
treinta y dos por ciento de todas las personas atendidas, casi la
tercera parte, tienen problemas familiares. Esto pone de manifiesto
que el cuidado pastoral de la familia es de prioridad absoluta.

Al ocuparme de este tema, comenzaré presentando algunas
reflexiones teóricas, de otro autor, que coincide con los que es mi
experiencia en mi esfuerzo por lograr que las familias sean más sanas
y más cristianas. Un psicoanalista argentino, José Bleger, afirmó:

> Los trastornos mentales son momentos exagerados,
> aislados y estereotipados de la dinámica familiar, del
> movimiento, del curso, del desarrollo y transformación
> del grupo como totalidad.[1] Esta definición sugiere que los
> trastornos psicológicos y afectivos se producen en el seno
> de la familia. Estoy seguro de que es así. También cons-
> tatamos que es muy difícil cambiar las estructuras perso-
> nales y familiares. Hay personas que piensan que, para
> que alguien pueda considerarse normal, debe ser seme-
> jante a ellos. Ellos siempre tienen la razón, lo saben todo.
> Justamente, la certeza es un rasgo psicótico. Los que
> gracias a Dios somos neuróticos, tenemos dudas. Por eso,
> la Iglesia debe ser una comunidad redentora, terapéutica
> y profética donde se pueda ayudar a producir los cambios
> que sean posibles, utilizando todos los recursos de la fe y
> las herramientas que nos proporciona la cultura en que
> vivimos.

No existen dos familias exactamente iguales. He descubierto
que Bleger tiene razón cuando presenta dos tipos de estructura

familiar de base: La aglutinada y la esquizoide o dispersa. Según Bleger, de estas se derivan la familias psicopáticas y las hipocondríacas. Debo aclarar que Bleger no utiliza el concepto de «estructura». Él se refiere a «tipos de familia». Tomo distancia de él al afirmar que existen tres tipos de estructura familiar: La aglutinada en simbiosis patológica, la esquizoide o dispersa, y la relativamente normal. No hay más que estos tres grupos. En mi trabajo clínico no he encontrado una sola estructura psicopática o hipocondríaca. Eso sí, he encontrado rasgos psicopáticos e hipocondríacos. Pero también rasgos histéricos, obsesivos, psicóticos, etc.

La situación de la familia no está en vías de mejoramiento; todo lo contrario. Por lo menos según las estadísticas que yo manejo. El estudio de casos de diecinueve años da un treinta y dos por ciento a los problemas familiares. Pero he hecho un cuidadoso estudio de las personas atendidas durante el año 1995 y, para mi sorpresa, de cuarenta y dos casos atendidos, treinta y tres presentaban diversos tipos de trastornos en la vida familiar. Principalmente, crisis en la vida conyugal. O sea, de un promedio general de treinta y dos por ciento, la problemática familiar ha subido a un setenta y ocho y medio por ciento. Sé que los que vienen a verme es porque tienen problemas, pero no debe dejar de preocuparnos el terrible incremento de personas con problemas familiares de todo tipo. Si el deterioro continúa, ¿qué podemos esperar para el tercer milenio. ¿En qué mundo le tocará vivir a nuestros hijos y a nuestros nietos? Hay un gran desafío para el ministerio pastoral de la iglesia. Pero, por ahora, nos vamos a ocupar de estas treinta y tres personas con problemas familiares que me visitaron en 1995. De ellas, veintitrés, el setenta por ciento, procedían de estructuras familiares aglutinadas con distintos niveles de simbiosis patológica. Las diez restantes, o sea el treinta por ciento, procedían de familias de estructura esquizoide o dispersa. Por supuesto, con distintos niveles de gravedad. Tanto en las personas que pertenecen a un grupo, como al otro, aparecían rasgos psicopatológicos diferentes con diversos grados de intensidad.

He atendido pocas personas con rasgos psicopáticos, más o menos intensos. Pero no puedo afirmar, a partir de mi experiencia personal, la existencia de familias psicopáticas. Claro que mi experiencia no tiene valor objetivo porque como los psicópatas no tienen sentimientos de culpa, difícilmente se van a acercar a un pastor para pedir ayuda. No he tenido ocasión de trabajar con ninguna familia donde la hipocondría sea el eje del poder en la vida familiar. Sí me he enterado de situaciones familiares donde el sillón de ruedas o la cama, han servido de trono para alguien que reina sobre su familia mediante una enfermedad real o supuesta.

Me contaron de una abuela que durante varios años anunciaba su muerte para el siguiente verano. Como deseaba tener a todos sus familiares a su lado para despedirse de ellos, ningún familiar podía salir de vacaciones. Hasta que uno se atrevió a hacerlo, y los demás parientes lo imitaron. Al regreso de las vacaciones, la abuela gozaba de buena salud.

La estructura familiar simbiótica

En todo niño es normal el narcisismo, es decir, el estar centrado en sí mismo, el creerse el centro del universo, pareciendo egoísta a los demás; pero es anormal asumir esa actitud cuando uno ha dejado de ser niño, desde hace mucho tiempo. En todo niño es normal padecer el complejo de Edipo, pero es anormal si continúa existiendo cuando el sujeto ha dejado de ser niño. De igual manera, el bebé necesariamente tiene que vivir en forma simbiótica con su madre. La criatura, que estuvo dentro de su madre, no puede diferenciarse de ella. La simbiosis es total, y eso es normal. Pero es anormal que un adulto quiera disfrutar de los privilegios que se le concedían en el pasado por ser un bebé.

Para Bleger: «Este grupo aglutinado funciona como una totalidad, en la cual los roles (no las personas) se hallan en un interjuego de relaciones y compensaciones dependientes; la identidad es grupal y hay un déficit de la identidad individual, o mejor dicho, no hay ningún índice de individuación por el cual los individuos puedan actuar como seres independientes que puedan reconocer a los demás integrantes de la familia como individuos distintos de él mismo».[2] Podría ilustrar esta afirmación teórica con docenas de situaciones que se me han presentado, cuando he tratado de ayudar en espíritu cristiano; pero eso ocuparía mucho espacio. Me voy a limitar a explicar el fenómeno psicológico que se produce a nivel de familia patológicamente integrada. Se trata de situaciones donde, como dice la definición de Bleger, los individuos no tienen idea de que son personas independientes; por el contrario, actúan sus roles como si estuvieran participando en una obra de teatro. El grupo determina la acción de cada uno de sus miembros, y los sujetos no se dan cuenta de que están siendo manejados. Esta estructura es muy fuerte, viene de muy lejos. Por eso el pastor necesita tener en cuenta lo que es posible, y lo que le es imposible en su intervención pastoral. Hay casos en que lo único que se puede hacer es orar porque Dios haga un milagro. Solo Él puede hacerlo. Porque las personas que deberían ser tales, son solo actores del teatro de la neurosis familiar. Por lo tanto, no podrán entender las orientaciones del pastor y hasta pueden reaccionar agresivamente. Claro que hay pastores que se creen omnipotentes, y así les va. Lo cierto es que hiere nuestro narcisismo cuando uno quiere y no puede ayudar. Recuerdo una entrevista con un abuelo ofendido porque su hija no había querido que ese año hicieran lo de todos los años, salir juntos de vacaciones. Tenían hijos adolescentes que querían llevar en sus vacaciones a dos amigos. ¡Qué ofensa para el abuelo! Como en la familia aglutinada en simbiosis patológica, no hay individuos, sino grupo. Como en el antiguo Israel, se establece una suerte de personalidad corporativa; si uno peca, todo el pueblo ha pecado. Y deberá recibir castigo todo el pueblo. Pues bien, el abuelo enojado no había discutido con su nieta. Por el contrario, ella siempre fue muy cariñosa con él. Pero él estaba enojado con toda la familia, por la acción de uno de sus miembros. Mi frustración pastoral fue no poder convencer al abuelo a que asistiera a la fiesta donde su nieta celebraba sus quince años. Una buena parte de la familia acompañó al abuelo en su vendetta. Estas familias sufren mucho y no pueden apartarse del condicionamiento familiar, excepto cuando explota el núcleo familiar y se constituye en varias familias dispersas que repetirán la historia.

Durante muchos años he sido bastante testarudo, o insistente, tratando de hacer posible lo imposible. Aunque sea posible para Dios resolver cualquier problema familiar, yo no soy Dios. Ahora soy consciente de que hay muchas situaciones que escapan a mis posibilidades, y las dejo en manos de Dios sin dejar de hacer lo que, como pastor, me corresponde hacer en cada situación. A veces, uno se sorprende porque realmente Dios hace milagros.

Se podrían escribir muchas novelas con el argumento que ofrece este tipo de familias. Lo que llama la atención es que si bien la estructura familiar es siempre la misma, cada una escribe un libreto diferente. Hay momentos de profundo amor y, también, de no menos profundo odio. Hay momentos en que se divide la familia para volverse a reunir más tarde. A veces hay alianzas de unos contra otros, que pueden variar con el tiempo y las circunstancias. Cada persona al convertirse, llega a la iglesia con la «valija» de su historia personal, y es necesario tenerla en cuenta en el trabajo pastoral. Veamos ahora algunos recortes de casos, para ver la diversidad de libretos que pertenecen a una misma estructura familiar:

Primer caso

Se trata de una persona casada y con dos hijos. «Mis padres me consumen. Con la edad que tengo y con un nivel universitario, tengo que darles explicaciones de lo que hago si no les gusta. Estoy atrapada en la miel. ¡Por qué son tan buenos! Pero es un amor que me ahoga, aunque ellos no tienen la intención de ahogarme. Es algo incomprensible, con la edad que tengo quieren dirigir mi vida. Sin embargo, en mi niñez faltó el contacto físico. No hubo mimos. Todo era cuestión de cumplir con el deber. Era necesario ser buena. Y ser buena significaba hacer lo que ellos querían; de otra manera "era mala". Cuando me enojo con ellos me dicen que soy una desagradecida, porque si soy una profesional es porque ellos se sacrificaron muchísimo para pagarme los estudios. Siempre que trato de ser independiente me tratan de desagradecida».

Seguramente el lector habrá conocido algún caso en que los padres le pasan la factura a sus hijos por los sacrificios que hicieron por ellos cuando eran chicos. Padres que han querido realizarse, a través de sus hijos, en lo que algunos autores han llamado «narcisismo especular». Es decir, que los padres quieren verse como en un espejo —por eso se lo llama especular—, realizados a través del triunfo de sus hijos.

Hay una fábula que suelo contar a este tipo de padres, y también a los hijos que se sienten en deuda. Se cuenta que un pájaro tenía su nido en las ramas de un frondoso árbol, junto a un caudaloso río. El árbol se encontraba en la parte baja del río donde este erosiona cuando hay inundaciones. Resulta que un día llovió tanto que el río comenzó a socavar las raíces del árbol que sostenía el nido donde reposaban sus tres pichones. El pájaro decidió salvar a sus hijos llevándolos en su pico, uno a uno, sobre las aguas del río, para colocarlos en la parte alta donde no había peligro de inundación. Tomó al primero de sus hijos, y mientras volaba sobre el enfurecido río, le dijo:

—¿Sabes hijo que te estoy salvando la vida? Si te dejara en el nido morirías irremediablemente cuando el río destruya el árbol donde naciste. Por eso tengo una pregunta que hacerte: Dentro de un tiempo voy a ser viejo y podré encontrarme en peligro, entonces, ¿serías capaz de hacer por mí lo que yo estoy haciendo por ti?

—Seguro que sí, papito, yo haría eso por ti —le respondió el pichoncito.

Entonces el padre abrió el pico y lo dejó caer en el torrente de aguas y murió. Después agarró el segundo pichón, hizo la misma pregunta, obtuvo la misma respuesta, e hizo la misma acción. Cuando le tocó el turno al tercer pichón, recibió de su padre la misma pregunta, pero respondió en forma diferente. Le dijo:

—Mira, papito, no sé si en una situación extrema como esta trataría de salvar a mi padre anciano; pero de una cosa sí estoy seguro, yo estaría dispuesto a hacer lo mismo por mis hijos.

El pájaro continuó su vuelo y colocó a su pichón en lugar seguro, del otro lado del río. Moraleja: «La deuda con los padres se paga con los hijos».

Cuando la Biblia dice: «Honra a tu padre y a tu madre», se está refiriendo a que estos no sean deshonrados, de ancianos, pasando hambre y necesidad. En tiempos bíblicos no había obra social ni jubilación. Claro que un hijo que ame a sus padres y se haya sentido amado por ellos, hará cualquier cosa por sus padres. Pero en la familia aglutinada en simbiosis patológica, los hijos no son considerados personas, sino parte del grupo. Para este tipo de familia, lo que cuenta es el grupo, no el individuo.

Segundo caso

Se trata de una pareja que procede de familias con estructuras diferentes. Los padres de él son inmigrantes del sur de Italia. Los de ella, también inmigrantes, pero de uno de los países nórdicos. Él viene de una familia aglutinada en simbiosis patológica. Para los padres de él una nuera es buena si sabe hacer longanizas y amasar bien los fideos y otras pastas. Los dos miembros de la familia en problemas son profesionales. Él tiene una gran dependencia de sus padres hasta en lo económico. Ella es muy independiente, no le gusta hacer los quehaceres domésticos, «porque gano lo suficiente como para pagar que alguien lo haga por mí», decía. Daré nombres a los protagonistas, que no son los reales:

Italo: «Tu padre dijo que yo era un mantenido, me ha faltado el respeto y eso no se lo voy a permitir».

Vanesa: «Cataldo, el padre de Italo, me llamó por teléfono. Discutimos, me insultó y no me quedé atrás. Me dijo que era la cruz que ellos tuvieron que soportar en la familia durante quince años. Así que lo insulté. Le recordé a su madre, cuando me dijo que sus nietos eran infelices por culpa mía. Mis suegros no nos visitan, porque no les gusta mi forma de ser, pero esperan que vayamos todos los domingos a comer ravioles con ellos. Cuando vino mi marido le exigí que le pidiera explicaciones a su padre porque me había faltado el respeto. Mi marido agarró el auto y se fue; él siempre hace los mismo, se escapa, no es capaz de enfrentar a sus padres, aun cuando yo tengo razón».

Italo: «He discutido con mi mujer todos los días. No tenemos un enfoque común en un montón de cosas. Por ejemplo, hay que ponerles pautas a los chicos. Ella no le pone límites. Vanesa es rencorosa con mis padres; no perdona a mi madre, le hizo la cruz.

Cada día estoy más solo. Me he quedado sin amigos; estoy por quedarme sin padres, y también estoy por perder a mis hijos. Mis padres también son rencorosos».

Vanesa: «Me llama la atención que no te referiste a perder la esposa. De todas maneras, yo no quiero que pierdas a tus padres. Yo he hecho mi esfuerzo. El otro día llamé a tu mamá para saludarla por su cumpleaños y me dijo que no podía atenderme porque tenía visita. En cuanto a tus hijos, no los vas a perder. Si llegamos a separarnos jamás les hablaré mal de ti, porque de hacerlo, los perjudicaría psicológicamente. Eres tú quien tienes que tomar una decisión y no escaparte de los problemas».

Como muestra es suficiente. Mi intervención se centró en hacerles ver que estaban discutiendo, no por problemas de la pareja, sino por terceros que estaban ausentes. Que si querían una terapia de la familia extendida era indispensable la presencia de todos los involucrados. Pero, si lo que deseaban era salvar el matrimonio, tenían que ocuparse solamente de la familia nuclear. Y en esta que fue la primera sesión de terapia de pareja, les puse como condición, para continuar, que no se pelearan delante de los hijos, algo que hacían casi a diario. Además, les puse como condición centrarse en los presentes, es decir, en ellos dos, porque no podía opinar sobre, y mucho menos asesorar, a personas ausentes.

Tercer caso

Veamos el caso de un hombre de treinta años, cuya novia no es aceptada por su familia porque la chica no es evangélica. Él se fue de casa, vive solo. «La cosa es así, o vienes a comer todos los domingos con tu familia, o no vengas más. Me dan todo, pero si no voy con ella. No tengo derecho a amar a quien yo quiera, a ser yo mismo». Esta persona se casó contrariando la opinión de sus padres. Han pasado los años y el vínculo familiar quedó roto. Sus hermanos se han casado, tienen hijos, pero los primos no se conocen entre sí. Como reacción ante una familia aglutinada en simbiosis patológica se ha creado una familia dispersa. Podría añadir docenas de casos, pero para muestra, un botón.

La estructura familiar esquizoide o dispersa

Voy a partir de la definición de Bleger:

> El otro tipo extremo de grupo familiar es el que
> podemos llamar esquizoide o disperso, y en él cada uno
> de los integrantes incorporan el grupo al grupo indiscri-
> minado como objeto interno y establecen la simbiosis con
> el grupo dentro de sí mismos y, por una formación reac-
> tiva, en la cual se utiliza el horror al incesto y la hostilidad
> o la agresión, el grupo se dispersa o se bloquean las
> relaciones emocionales, que pasan a ser frías y distantes.
> Es, en todo caso, una forma de defensa frente a la fusión
> y la pérdida de identidad. Un mínimo de identidad (indi-
> viduación) queda aquí conservado a través de esta disper-
> sión o disociación esquizoide; la independencia es aquí
> un aislamiento reactivo y no una buena resolución de la
> dependencia simbiótica. El individuo pertenece al grupo,
> ya no de manera física directa, sino porque actúa en
> función del grupo, ya sea siguiendo sus pautas o recurrien-
> do a formaciones reactivas contra el mismo.[3]

Podría llenar muchas páginas con ejemplos de familia esquizoide o dispersa. Pero me parece que es suficiente mencionar una
serie de pinceladas, tocando casos y situaciones diferentes, para
finalmente ocuparme de un solo caso. Veamos primero las pinceladas de casos, que para algunos parecerá extraños, pero para otros
resultarán muy cercanos a su realidad familiar:

- Habla un nieto, profesor universitario, casado y con
  hijos: «No tengo la menor idea de dónde vive mi
  abuela, ni tengo interés en saberlo. La última vez que
  la vi fue en un velatorio, hace como siete años. Sé que
  vive en mi barrio, pero no sé dónde».
- Habla un comerciante; tiene mas de cuarenta años,
  casado y con hijos: «Murió mamá, un hermano vino

de Chile y otro de Jujuy, para el entierro, pero a mi otro hermano, el que vive en Buenos Aires, no pudimos encontrarlo porque nadie sabe dónde vive. Ha pasado más de un año y mi hermano no se ha enterado de que su madre está muerta. Mis hijos no conocen a sus primos». Llama la atención la distancia que estos hermanos han tomado entre sí. Uno en Jujuy, lo más al norte posible, sin salir de Argentina. El otro en Chile. Pero los dos que no pusieron espacio entre ellos. Los que viven en Buenos Aires, no han podido encontrarse, ni siquiera para repartirse la herencia.

- Un abogado tenía que defender a su cliente en un juicio. Su apellido, de origen europeo, no es muy común. Por eso le llamó la atención el hecho de que el abogado de la otra parte, tenía su mismo apellido. Pero mayor fue su asombro cuando, al mirarlo fijamente, notó que se parecía mucho a él. Intrigado lo invitó a tomar un café para conversar. Al preguntar por sus respectivas familias resultó que eran primos hermanos. La historia se remonta a cincuenta años atrás, medio siglo. Un joven se enamoró de una chica que, por su origen étnico, no fue aceptada por la familia del novio. Este siguió adelante, por fidelidad a sus sentimientos y fundó una familia totalmente separada del resto, que no se trataron nunca más. Sus cuatro hijos crecieron sin conocer otros familiares, aunque no desconocían su existencia. Suponían que estaban en Buenos Aires. Murió el papá, quien por amor se separó de su familia de origen. Cuando murió la mamá yo estaba en contacto con esta familia. Acompañé a uno de los hijos a hacer los trámites para el entierro. Me llamó la atención que este se negó a que apareciera en los diarios la noticia de la muerte de su madre, a pesar de que estos avisos estaban incluidos en el precio del funeral. Es decir, no les costaba nada. Después me enteré por qué se negó este hombre, profesional universitario. El argumento era: «Si a mi madre no la aceptaron en vida, no queremos ningún homenaje después de muerta». La distancia entre los miembros de estas familia ha continuado a pesar de que han muerto los que crearon la división. Solo comparten el apellido.

La estructura familiar relativamente sana

No conozco una sola persona que sea absolutamente sana al mismo tiempo en su vida espiritual, en su estructura psicológica y corporalmente. Es común que se falle en alguno de los tres, por separado, o en los tres a la vez. En el año 1920, por primera vez, Freud planteó la nueva dicotomía entre Eros y las pulsiones de muerte en su obra: *El malestar en la cultura*.[4] Esta elaboración teórica se perfeccionó en el año 1923 en *El yo y el ello*.[5] Hay en los seres humanos una lucha perenne entre la pulsión de vida y la pulsión de muerte. Hay personas en las cuales predomina la pulsión de vida, y su sola presencia nos hace agradable la vida. Hay otros donde predomina la pulsión de muerte, cuya sola presencia nos hace desagradable la vida. ¿No ha conocido usted personas que han tenido muchos accidentes? Le aseguro que estos no son casuales, sino causales, aunque quien los sufra no sea consciente de sus deseos de hacerse daño, o de morir. Conocí a un hombre, un buen creyente, quien falleció en su décimo accidente. No es que quisiera suicidarse conscientemente, la pulsión de muerte no es consciente, no viene a nuestra mente.

Este tema necesita ser bien estudiado por la iglesia, para poder realizar un ministerio pastoral más efectivo. Hace pocos años se reunió en Marsella, al sur de Francia, un Congreso sobre la pulsión de muerte. Se reunieron especialistas de toda Europa. Como consecuencia de ese Congreso se publicó un libro.[6]

La lucha entre pulsión de vida y pulsión de muerte no se limita al área psíquica; la tenemos también en nuestros cuerpos. En nuestro torrente sanguíneo luchan todos los días la vida y la muerte. El colesterol es indispensable para la vida; se dice que hay uno malo y otro bueno. Efectivamente, el HDL trata de limpiar las arterias para prolongarnos la vida; por el contrario el LDL trata de taparlas para producirnos un infarto. Los que fuman, beben y comen en demasía, están ayudando al LDL en su lucha contra su propia vida. La presión arterial puede matarnos tanto si está demasiado alta como cuando está demasiado baja. Lo mismo podemos afirmar de la glucemia. Algunos se creen omnipotentes e inmortales y no cuidan al cuerpo que es el templo del Espíritu Santo. Una vez escribí una carta personal a varios miembros de mi congregación que fumaban; les explicaba todo el mal que les puede hacer el cigarrillo, posibilidad de infarto, cáncer, problemas pulmonares, etc. Uno de ellos me contestó: «Hermano pastor, vivo en comunión con el Señor, y Él me va a proteger de todo mal». ¡Qué teología!

En cuanto al cultivo de la vida espiritual no voy a escribir mucho porque me parece que los estudiantes de este curso saben que existe, en el plano espiritual, una lucha permanente entre el bien y el mal, entre Dios y Satanás. Supongo que cada lector sabe cómo hacerlo, y que tiene su pastor. Todo cristiano sabe que debe edificar su vida espiritual mediante la lectura devocional de las Escrituras, la vida de oración personal y familiar. Así como la participación del culto divino y de los sacramentos.

Si es tan difícil mantener sana a una persona en alma, mente y cuerpo, ¡cuán difícil será mantener sana a una familia! Es difícil, pero debemos esforzarnos porque nuestras familias sean lo más sanas que sea posible. Todos sabemos cómo cultivar nuestra vida espiritual, pero no todos lo hacemos. Todos sabemos cómo debemos cuidar nuestros cuerpos, pero no todos lo hacemos. No voy a insistir en estos dos temas, pues el lector sabe muy bien a dónde debe acudir para procurar ayuda, en esos dos aspectos. A su propia comunidad de fe, y al médico.

En mi último libro dedico dos capítulos al pastor y a los dirigentes laicos. Remito al lector a esos dos capítulos: El seis lleva por título: «Algunas tensiones psicológicas a las que suele estar sometido el pastor». Y el número siete se refiere a: Tensiones en la familia pastoral.[7]

Reconociendo que más del setenta por ciento de las enfermedades del cuerpo son producidas por tensiones psiconeumáticas, es decir, por problemas emocionales y espirituales, voy a terminar este capítulo tratando de construir un camino de doble mano que permita comunicar dos niveles de reflexión que a veces se encuentran separadas por un abismo: La Biblia y la psicología. Pero lo importante es que haya comunicación para el bienestar del ser humano a quien el Señor nos ordena servir y pastorear. Luego, dejando de lado el cuerpo, tratemos de tejer con dos agujas, la del espíritu y la de la mente. Veremos que tal nos sale el tejido.

Obstáculos de las estructuras familiares a la acción pastoral

De inmediato veamos los obstáculos que debemos enfrentar con relación a las estructuras familiares.

En las familias aglutinadas en simbiosis patológica

En ellas suele haber un «padrino» o una «madrina» quien es la persona que realmente manda en el clan familiar. Todos están psicológicamente sometidos a quien detenta el poder. La «madrina» puede ser, aparentemente, una débil ancianita de más de ochenta y cinco o noventa años. Pero detrás de esa debilidad hay un poder enorme. Maneja todos los hilos de la familia. Cuando su autoridad se ve en peligro, se maneja con la culpa. Hace responsables a sus seres queridos por su muerte que vendrá pronto. Son comunes frases como las siguientes: «Me van a matar». «Todos están contra mí y no se dan cuenta de lo mal que estoy». «Ya se van a arrepentir cuando me vean dentro del cajón», etc.

A las personas más jóvenes les cuesta trabajo liberarse del poder de quien utiliza armas tan sutiles. Son personas que se hacen fuertes en su debilidad, pero no lo hacen para edificación, sino para la dominación. Aunque algunos no son conscientes de lo que hacen.

Siempre actuaron de esa manera, y les parece que esa es la manera normal de manejarse en el seno de la familia.

Es bueno tener en cuenta que en las estructuras familiares no cuenta tanto el nivel intelectual, porque el manejo viene por el lado afectivo. Un pastor recibe la visita de una feligresa viuda, de cuarenta y un años, que desea rehacer su vida. Le cuesta trabajo contarle al pastor lo que le pasa; se la ve trabada y tímida. No se trata de incapacidad para comunicarse, lo hace muy bien cuando se encuentra en su rol de profesora universitaria. Explica que hace cinco años que es viuda y que desea volver a casarse, pero según su tradición familiar las viudas se quedan a cuidar a sus hijos y a sus nietos. Informa al pastor que tiene tres tías viudas. Una de ellas, de sesenta y siete años, le ha aconsejado que no haga como ella, que si puede casarse que lo haga. Estamos bajo la tiranía de una ley no escrita que somete a las mujeres que pertenecen a un grupo étnico establecido en Argentina hace más de cincuenta años. Las tradiciones son costumbres que a veces traicionan la esencia de lo humano. Esta mujer está enamorada de un compañero en la docencia universitaria que también es viudo. El temor es cómo hablarle a los padres. Los padres son casi analfabetos; ella es el único miembro del clan que accedió al nivel universitario. Sin embargo está atrapada como si fuera también analfabeta.

El poder se maneja a través de la culpa. Desde niña esta viuda que llamaremos Virginia, está obligada a ser buena. En varias ocasiones le dijo al pastor: «Yo no quiero ser mala». Al darse cuenta de que esas palabras las utilizaba como una muletilla, el pastor le preguntó: ¿Qué significa para usted ser mala? Virginia entró en momentos de confusión, no sabía muy bien cómo responder. Al final expresó que desde pequeña le habían enseñado que: «Ser buena significaba obedecer a mamá».

Es común que las personas que proceden de un grupo familiar aglutinado en simbiosis patológica, procuren encontrar una comunidad religiosa que tenga las mismas características de la familia de origen. No es difícil encontrar congregaciones de tipo patriarcal o matriarcal, o sectas que tienen su «padrino» o su «madrina». La persona que se somete a los dictados del jefe del clan familiar, aunque estos sean absurdos, se va a someter con facilidad al líder religioso. Ese fanatismo puede llevar hasta la muerte, como ocurrió en Guyana, en Waco, etc. Este fanatismo ocurre con frecuencia en algunas sectas de origen oriental.

Pero no nos justifiquemos mirando la paja del ojo ajeno. También algunas de nuestras congregaciones suelen funcionar como familias aglutinadas en simbiosis patológica. Tienen un pastor fundador, un padre común, que les explica las Escrituras según su buen saber y entender. Veamos un caso de opresión pastoral en una congregación de esas características. Un pastor se encuentra con Graciela, quien se siente que ha pecado por cierta actividad que ha realizado. El pastor le pregunta:

—¿Cómo sabe usted que eso es pecado?

—Me lo enseñó el misionero —fue la respuesta.

Hay casos en que las palabras de la persona reconocida como padre o madre espiritual, adquieren el carácter de palabra sagrada, idealizada y literal. Sus dichos no son analizados a la luz de las Escrituras. Lo que él o ella dijo, es aceptado irreflexivamente. Se considera que la enseñanza es válida, porque es la palabra de un siervo o una sierva del Señor.

—Muy bien —le respondió el pastor a Graciela—, pero... ¿no pensó usted que el misionero podría haberse equivocado en su interpretación?

La feligresa se quedó muda, no sabía qué responder. Entonces, el pastor puso en sus manos un ejemplar de las Sagradas Escrituras, diciéndole:

—¿Qué es más importante para usted, lo que dice la Palabra de Dios o lo que dice el misionero? Usted tiene en sus manos la Biblia, hágame el favor de mostrarme un solo versículo que pruebe que lo que su misionero le enseñó es cierto.

Graciela se quedó sorprendida. Al final manifestó que no conocía ningún versículo que condenara su acción. Lamentablemente, algunos pastores que fundan congregaciones tienden a crearlas a su imagen y semejanza; sin darse cuenta incluyen en la semejanza sus propias neurosis que intentan implantar en los demás como si fuera el puro evangelio.

En las familias esquizoides o dispersas

Si difícil es la tarea pastoral con una familia aglutinada en simbiosis patológica, más difícil todavía es lidiar con una familia de estructura esquizoide. Es difícil entender cómo personas que en la congregación son amables y afectivas con personas que no son de su propia sangre, no se tratan con algunos de sus propios familiares. Claro que siempre va a haber una explicación para esa manera de proceder. O, en ocasiones, ocultan que exista tal situación en el seno de su familia. Hay odios heredados del pasado, primos que no se tratan porque un día sus padres se pelearon. Ellos no tuvieron nada que ver, pero son solidarios con su padres. Es difícil entender que un buen creyente que asiste a la iglesia todos los domingos, no sepa dónde vive su abuela. Él sabe que vive en su mismo barrio porque se lo dijo su padre, pero nunca se interesó en averiguar dónde se encuentra su domicilio. Es difícil entender que una persona que no asiste a la iglesia, pero que dice ser cristiano, no sepa dónde vive su hermano y su familia. La separación se produjo hace diez años por una discusión en una cena de Navidad. El hermano se mudó de barrio y nunca más una familia supo de la otra. Resulta que han pasado dos años desde la muerte de la madre de ambos. Uno de los hermanos no sabe que su madre ha muerto. Lo han buscado para que participe de la herencia, pero no lo han podido encontrar, y vive en Buenos Aires. El amor es la columna vertebral de la fe y la ética cristiana, pero el odio, los rencores y la incomprensión se están instalando en nuestra sociedad. Difícil es la tarea pastoral para convencer a personas así separadas, que deben reencontrarse con sus familiares.

Pero, otra vez, no miremos la paja del ojo ajeno. ¿Acaso no ocurre en el seno de algunas congregaciones esa dura división entre hermanos en la fe? ¿Acaso no hay grupos de parientes y amigos que forman un núcleo cerrado donde a los nuevos que llegan les resulta imposible entrar? ¿Acaso no hay en algunas congregaciones distintos grupos, «trenzas», que son antagónicos entre sí? ¿No ocurre a veces que las tensiones intergrupales se hacen tan fuertes que un grupo se escapa, como las abejas, para fundar otra colmena? Tanto en una, como en la otra colmena, están produciendo la misma miel; la diferencia es que hay dos reinas. Alguien se propuso dividir para reinar. Multiplicar las iglesias dividiéndolas no es una virtud, es un pecado.

Es necesario reflexionar sobre las estructuras eclesiásticas denominacionales y las estructuras distintivas de cada congregación. Como en las familias, en las iglesias hay estructuras sanas y otras que son patológicas. Es necesario reflexionar eclesiológicamente como lo hacemos sobre un sujeto aislado. Tenemos que tener en cuenta el cuerpo, la mente y el alma. El cuerpo de una congregación es el número de sus feligreses; la mente es la personalidad de la congregación (tiene personalidad, no hay dos iguales). Las hay sanas y también las hay neuróticas; las hay histéricas, obsesivas, fóbicas, etc. El alma de la iglesia es la presencia real del Espíritu Santo. Un cuerpo sin alma cambia de nombre; entonces se llama cadáver. Sin Espíritu Santo no hay iglesia, solo una estructura como la de las conchillas que recogemos en la playa, las cuales dan testimonio que una vez hubo vida en ellas, pero, ahora están muertas. Esta tarea de reflexión eclesiológica debe ser una tarea pastoral, y cuando digo pastoral, no me refliero a los clérigos, sino a todos los creyentes que sienten que tienen una reponsabilidad por la edificación espiritual de sí mismos y de sus hermanos. La teología que necesitamos hoy debe realizarse en el seno de la iglesia, no en el escritorio de un iluminado. Aunque Dios puede llamar, y siempre lo ha hecho, a algunas personas para iniciar un movimiento de reflexión sobre la vida de la iglesia, sus estructuras y su misión.

Algunas pautas para encarar pastoralmente las diferencias estructurales de las familias, sin que el agente de la pastoral se haga daño

Tome conciencia de sus limitaciones. Si va a tener una entrevista con un matrimonio donde cada uno pertenece a una estructura familiar diferente, a menos que Dios haga un milagro, la entrevista va a ser un fracaso. No considere que usted ha fracasado cuando los problemas no se solucionan. Usted es solo un instrumento del Señor; si Él quiere solucionarlo, tiene suficiente poder para hacerlo. Pero Él es Él y usted es usted. A veces el pastor se encuentra en medio de un diálogo de sordos, porque ninguno de los dos parece escuchar al otro. Si el pastor no toma conciencia de sus limitaciones, va a sufrir mucho. Usted no tiene la culpa de no ser omnipotente; a veces el silencio es el mejor discurso.

No se trata de ser juez. En mi experiencia pastoral, cuando aparece una tensión, o una discusión entre hermanos, y vienen a mí por ayuda para esclarecer las cosas, les recuerdo que yo no soy un juez para determinar quién es culpable ni quién es inocente. Que no soy un padre para retar al nene que se portó mal. Que mi tarea es la de proclamar la Palabra de Dios y hacerla real para mi vida, en primer lugar, y para mis hermanos también. Lo que puede hacer el pastor es ofrecer una buena dosis de serenidad, de piedad cristiana, y de espíritu de oración para serenar los ánimos. También, al colocarse en una posición neutral, el pastor puede ver el asunto que se discute con mayor claridad.

Sea humilde. Solo con la humildad que siente un guía espiritual que trata de vivir la vida cristiana, es que podemos asesorar a otros. Todo aquel que se siente cerca de Dios se expresa humildemente. Los que se creen dioses actúan con arrogancia.

Cuidado pastoral. Las familias aglutinadas en simbiosis patológica, y las esquizoides o dispersas, son muy difíciles de pastorear pero hay que hacerlo igual. Hay que sembrar en todo tipo de terreno, como nos indica el Señor en la parábola del Sembrador. Pero si uno quiere cuidar su salud mental, no debe poner todo su énfasis en las familias enfermas. Debe dedicar suficiente tiempo a las familias más sanas de la congregación. En mi experiencia pastoral, varias veces he necesitado ser pastoreado por los hermanos más fieles de mi propia congregación. Asumí mi primer pastorado a los veinte años. Cuando tenía dificultades iba a ver a una fiel viejecita de más de noventa años, Orosia Molina. Era ciega de sus ojos, pero me veía con los ojos del alma. Con escuchar mi voz le era suficiente para saber que me pasaba algo. «¿Qué te pasa, mi hijo? Yo no te veo con los ojos del cuerpo, pero te veo con los ojos del alma. ¿Qué te pasa hijo, en qué te puedo ayudar?» Orosia vivía orando permanentemente; yo le pedía que orara por mí, por los problemas pastorales que tenía que resolver. Jamás una palabra de lo que le dije fue comentada con otra persona, en cierta manera ella era mi pastor. Estaba muy cerca de Dios. En la segunda iglesia que me tocó pastorear, había otro santo de Dios, el hno. Cortez, un peluquero miembro de mi iglesia. Era muy anciano, pero su fe era radiante; era un joven espiritualmente. A veces iba a cortarme el cabello, solo para escuchar sus ideas acerca del ministerio en la iglesia. No solo en los seminarios teológicos hay maestros; también podemos aprender de los santos que Dios ha colocado en nuestras propias congregaciones. Pero es necesario tener humildad para encontrarlos.

Protección pastoral. Es muy difícil ser pastor en los tiempos difíciles en que nos ha tocado vivir. Si uno hace las cosas bien, los hermanos consideran que ese es nuestro deber. Si uno se equivoca, la gente suele ser muy dura con uno. El pastor evangélico está muy solo. El sacerdote católico tiene su propio confesor. El pastor también viene de una familia, sea esta sana, sea aglutinada, sea esquizoide, o lo que sea, es su propia familia donde se ha formado, bien o mal. El pastor como ser humano que es, también está enredado en la telaraña de una estructura familiar. Y como cambian los tiempos, la iglesia también necesita hacer cambios que hagan posible una mayor protección espiritual y psicológica de los pastores. Necesitamos más ayuda pastoral para los pastores. Algunas congregaciones los consideran superhombres, y solo son hombres y mujeres de Dios que tratan de servirle a pesar de sus limitaciones. La iglesia tiene que hacer cambios. Debemos reflexionar y orar para producir esos cambios, de manera que sean los mejores para el mundo nuevo donde estamos entrando. AMÉN.

Referencias bibliográficas

1. J. Bleger, *Psicohigiene y psicología institucional*, Editorial Paidós, Buenos Aires-Barcelona-México, 4a. reimpresión, 1984, p. 151.

2. *Ibid.*, p. 151.

3. *Ibid.*, p. 154.

4. S. Freud, *Obras Completas*, vol 18, pp.1-62.

5. *Ibid.*, vol. 19, pp. 1-63.

6. A. Green y otros, *La pulsión de muerte*, Primer simposio de la Federación europea de psicoanálisis, Marsella, 1984, Amorrortu editores, Buenos Aires, 1989.

7. J.A. León, *op. cit.*, capítulos 6 y 7.

5

El asesoramiento pastoral de la pareja

Los cuatro capítulos anteriores proporcionan los elementos teóricos para intentar una metodología válida y productiva para el asesoramiento pastoral de la pareja.

Me he referido a la enseñanza de nuestro Señor Jesucristo en la parábola del Sembrador. Hemos visto cómo Él nos muestra los diferentes tipos de terrenos, que representan a los seres humanos. Hablando en términos de nuestra cultura, en esa parábola, nuestro Señor nos explica las diferencias estructurales que existen entre los seres humanos. Aun más, nos muestra diferencias entre las personas consideradas como terreno bueno, porque producen fruto en cantidades diferentes. Es decir, no todos tienen la misma calidad para la producción. Nos dice el Maestro: «Pero parte cayó en buena tierra, y dio fruto, cuál a ciento, cuál a sesenta, y cuál a treinta por uno» (San Mateo 13.8).

En el primer capítulo vimos el modelo de familia de nuestro Señor. Él, como hombre, es un desafío a nuestra humanidad. Por lo tanto, debemos vestirnos de Él hasta que su ropa se constituya en nuestra propia piel (Efesios 4.22-24). Era el deseo de Pablo que «Cristo fuera formado en nosotros» (Gálatas 4.19). También deseaba que «fuésemos transformados de gloria en gloria a la imagen del Hijo de Dios» (2 Corintios 3.18). De igual manera que, en lo personal, debemos procurar parecernos a Jesucristo. En lo familiar, también, debemos esforzarnos por conformarnos al modelo de la familia sagrada, aun cuando reconocemos que no tenemos suficiente información sobre ella.

Hemos visto que tenemos muchas dificultades para la integración de una familia relativamente sana, y debemos ser muy honestos con nosotros mismos en esto. No debemos autoengañarnos, ni pretender engañar a los demás. Nos enfrentamos con férreas estructuras psíquicas en cada miembro de la pareja, y en cada una de las familias de donde proceden los cónyuges. Hemos visto también que el amor debe manifestarse en las tres dimensiones, que hacen al hombre semejante al Dios Trinitario: Alma, mente y cuerpo. Dios no tiene cuerpo de carne, nosotros sí. Para nosotros, los humanos, no es suficiente amarnos con el alma y con la mente; también necesitamos que el amor se haga concreto corporalmente, en la plena y gratificante sexualidad. En el tercer capítulo, hemos visto cuántos enemigos tiene la sexualidad para expresar plenamente el amor. Todos los temas resumidos hasta ahora, nos hacen ver la gran necesidad de una buena orientación pastoral personalizada. Y cuando digo personalizada, me estoy refiriendo a la singularidad histórica de cada sujeto. Quiero decir que no debemos meter a todos los feligreses en la misma bolsa, como algunos suelen hacer, porque todas los humanos somos diferentes y, por lo tanto, todas las parejas son diferentes. La tremenda tarea pastoral con cada pareja necesitada, consiste en lograr que el yo y el tú personado, o personalizado, se pueda convertir en el «nosotros corporalizado». Es decir, que sea posible lograr lo que Mira y López denominó: «Una superpersona en dos cuerpos». Las estadísticas que les presenté, sobre mi trabajo de asesoramiento a parejas, pone de manifiesto el rápido crecimiento de los problemas conyugales. No hay tiempo para ingenuidades, ni para meter la cabeza en la arena, como el avestruz, para no ver la realidad. Tenemos por delante un serio problema pastoral. Yo mismo no tengo todas las respuestas. Debemos evitar la soberbia de pretender saberlo todo. Recordemos algo que dijo Sócrates: «El hombre no debe ignorar su ignorancia». Sabemos que el más ignorante, de todos los hombres, suele ser el que más pretende saber. Es el tipo de persona que no necesita hacer preguntas, porque solo él tiene las respuestas para todas las preguntas. Otra vez les traigo palabras sabias de Sócrates, quien tenía la certeza de un solo saber: «Solo sé que no sé nada». El reconocimiento de que uno no sabe, es el comienzo del verdadero aprendizaje. En cuanto a mí, lo poco que sé, lo estoy poniendo al servicio de la Iglesia de Jesucristo, que es una sola. Una sola, porque creo que las denominaciones son el producto del pecado de los hombres, que buscan su propia gloria, y no la gloria de Dios. Recomencé mi ministerio de la literatura, después de haber detenido mi pluma durante casi quince años, en gratitud al Señor que me concedió la vida, aquel 14 de febrero de 1994, cuando un infarto agudo del miocardio parecía que acababa con mi vida. El pronóstico era sombrío, para los médicos, mas no para el Señor, quien me dio la certeza de que continuaría viviendo. Pero me dijo que debería vivir para cumplir una misión. Y aquí estoy, obedeciendo.

El asesoramiento pastoral a la pareja no es cosa de juego, no es tarea para pastores omnipotentes y sabihondos. Este es un ministerio glorioso y bendecido por Dios, para gente sencilla, «mansa y humilde de corazón», como el Señor (San Mateo 11.29). Esta es una tarea para personas honestas, que reconozcan que a ellos mismos les cuesta mantener una familia relativamente sana, y me incluyo en la lista.

Este capítulo está dedicado a las personas capaces de ver la viga de su propio ojo, antes de criticar al hermano porque tiene una paja en el suyo. (Cf. San Mateo 7.1-5.) Después de este sermoncito, que me salió del corazón, producto de mi experiencia pastoral y profesional, y sobre todo de mi experiencia espiritual, voy a comenzar a ocuparme de las técnicas que pueden resultar útiles para la tarea de orientación pastoral. Sin olvidar que lo que más necesitamos es amar a la gente a las que somos enviados a pastorear, según el modelo del amor de Cristo. La técnicas no sirven para nada cuando no van acompañadas por un amor genuino. Las técnicas psicoterapéuticas son útiles solo cuando las envolvemos en el amor de Dios, y cuando le permitimos al Espíritu Santo que nos asista en lo que vamos a hacer y a decir, porque nosotros no tenemos sabiduría, ni poder para sanar a nadie. Solo Cristo sana y salva. AMÉN.

La primera entrevista con la pareja

Lo primero que tengo que decir, según mi experiencia, que esta debe ser breve. Con media hora es suficiente. Cada uno trae su paquetito, atado a su manera, para demostrar que tiene razón y que el otro tiene la culpa. No hay que dejar que ninguno de los dos abra su paquetito; generalmente tienen muy mal olor. Eso sí, hay que preguntar cuál es el motivo de la consulta, que va ser tratada en varias entrevistas consecutivas.

Algún curioso se preguntará: «¿Y por qué este pastor, poco espiritual no deja que los hermanos abran sus respectivos paqueticos?» Les respondo con los siguientes argumentos:

- Porque ya lo he hecho y siempre me ha salido mal. Recuerdo, al comienzo de mi ministerio, haber comenzado una entrevista pastoral a las ocho de la noche y haberla terminado a las dos de la madrugada. Después de haber permanecido seis horas seguidas soportando un agrio y agresivo diálogo, ¿cuál fue el resultado? Pues, el siguiente: Ellos se fueron peor que como vinieron y yo no pude dormir esa noche, además del enojo de mi esposa.
- Por todo lo dicho en los cuatro capítulos anteriores, es necesario conocer a las personas para poder dialogar con ellas. Es necesario escuchar a cada uno por separado, antes de intentar ayudarlos a que se pongan de acuerdo.

El encuadre

Se llama encuadre a la actitud que asume un asesor frente a la tarea que va a realizar, o sea su posición frente a los entrevistados. Se incluye en el encuadre la determinación de ciertas pautas sobre la forma de proceder durante la entrevista. Las reflexiones que voy a hacer sobre el encuadre, son principalmente para que el asesor espiritual se ubique frente a la pareja. Claro que hay que presentarles algunos elementos para que ellos también se ubiquen. Sugiero que quien esté realizando una tarea pastoral de este tipo, no se salga del encuadre.

A continuación sugiero los siguientes temas a tener en cuenta:

- Se debe aclarar que se van a tener entrevistas pastorales bajo la autoridad de las Sagradas Escrituras, tratando de interpretar el Espíritu de Cristo y teniendo en cuenta que se trata de un diálogo entre cristianos. Si hay una real necesidad de orientación pastoral, será necesario tener un mínimo de cuatro entrevistas. En caso de necesitar más tiempo, por la gran cantidad de tareas que tiene el pastor, se tendrá un máximo de ocho entrevistas. Si se trata de una patología que escapa a las posibilidades del ministro de Dios, la pareja podrá ser derivada a un buen profesional, preferiblemente cristiano. Pero, el pastor debería continuar asistiendo a la pareja en el área espiritual.

Función del pastor. Es necesario dejar bien en claro cuál es la función del pastor. Hay que explicarles que no se encuentran ante un juez, quien va a declarar que alguien es culpable y otro inocente. La función del pastor no consiste en aprobar ni en condenar. Su tarea es tratar de entender con objetividad, desde afuera, cuál es la naturaleza del problema y propiciar que cada parte reconozca la porción de responsabilidad que le corresponde. También es necesario que haya arrepentimiento en los dos, y que se perdonen mutuamente. Pero de verdad, no aquello de que yo perdono, pero no olvido. Perdonar es olvidar. Justificar, en el lenguaje bíblico, significa declarar inocente a alguien que es culpable. Es por eso que San Pablo dice: «Justificados, pues, por la fe, tenemos paz para con Dios por medio de nuestro Señor Jesucristo» (Romanos 5.1).

Necesidad de una o dos entrevistas. Se les debe explicar que el pastor necesita tener una o dos entrevistas personales con cada uno de ellos, para lograr un mejor conocimiento personal antes de tener las sesiones de pareja. Se les explica que esas sesiones no deberán durar más de una hora; lo ideal son cincuenta minutos. De esta manera, al terminar la entrevista, ellos tendrán tiempo suficiente para orar, pensar, reflexionar y conversar, sobre lo que se trató con el pastor/a, o dirigente laico de la congregación. Esta actitud positiva, ayuda al buen resultado del siguiente encuentro pastoral. A veces ocurre todo lo contrario; tal situación escapa a las posibilidades del guía espiritual. El pastor/a no perdona pecados; solo Dios perdona, cuando hay arrepentimiento.

La información será confidencial. Se debe asegurar a cada miembro de la pareja que todo lo que se trate en las sesiones será una información absolutamente confidencial. Pero lo más importante no es decirlo, sino cumplirlo. Conozco a muchas personas que se han sentido traicionadas por su pastor, porque algo que fue dicho a nivel de confesión, antes de una semana, era de dominio público en la congregación. Ojo, esto vale para la señora del pastor también, o al marido, en caso de que el pastor sea una mujer. Si este principio no se cumple, la gente temerá acercarse al pastor, y este será el último en enterarse de los problemas de sus feligreses, si es que alguna vez se entera.

Los mecanismos de defensa. Este último punto del encuadre no es necesario mencionarlo al matrimonio. Pero sí debe tenerse presente en la mente del entrevistador pastoral, por si acaso. Se trata de que hay personas que vienen buscando ayuda, pero como se sienten culpables, utilizan mecanismos inconscientes de defensa. Es decir, quieren evadirse del conflicto real, proyectando culpas sobre terceros que no están presentes. Por lo general son los suegros los más mencionados, aunque también otros parientes del otro. Cuando esto ocurre, el asesor espiritual debe insistir en que no es posible asesorar en ausencia. Recuerdo haberle dicho a una señora «muy creyente», lo siguiente: «Hermana, usted se casó con su marido, no con su suegro. Su marido ama a su padre, así como usted ama al suyo, con sus defectos y con sus virtudes. Agredir a su marido porque su suegro la insultó por teléfono, no soluciona nada y crea muchos problemas. Tampoco sirve para nada, que traiga ese problema a este encuentro, donde no lo podemos solucionar. ¿No se da cuenta de que su marido no puede cambiar de padre, y tampoco puede cambiar la mente y el corazón de su padre?»

Las entrevistas personales

Se debe comenzar explicando que se desea conocer a cada uno de los miembros de la pareja, con el fin de poder hacer aportes en las entrevistas de pareja. De entrada se le puede decir: «Para poder asesorarles necesito conocerlos más íntimamente. Así podré ayudarles a esclarecer la situación, mirándola desde afuera. Háblème de usted, y de su pareja. Dígame todo lo que necesite contarme sobre sus dificultades matrimoniales. Haré lo mismo con su pareja. Después de haberlos escuchado a los dos tendré una idea más clara de lo que está aconteciendo entre ustedes. Hable libremente, por favor». Se da por sentado que, después de haber orado para implorar la dirección de Dios en todo lo que se va decir, el pastor debe procurar que el encuentro se realice en un espíritu cordial, afectivo y fraternal, como corresponde a hermanos en Jesucristo.

Lo más importante es escuchar lo que los feligreses tienen que decir. El pastor no debe considerar que su tarea, como ministro de Dios, consiste solo en reunirse con el matrimonio para darles un sermoncito. Todo pastor, y todo laico en funciones pastorales, debe aprender de la metodología del profeta Ezequiel. Este hombre de Dios supo estar muy calladito ante los exiliados en Babilonia, antes de hablar. Escuchándolos pudo comprenderlos, y comprendiéndolos pudo dialogar significativamente con ellos, para interpretarles la Palabra de Dios. Este es el testimonio del profeta:

> Y vine a los cautivos de Tel-abib, que moraban junto
> al río Quebar, y me senté donde ellos estaban sentados, y
> allí permanecí siete días atónito entre ellos. Y aconteció
> que al cabo de los siete días vino a mí palabra de Dios.
> (Ezequiel 3.15,16)

Los sermones son buenos para el púlpito, aunque algunos no sirven ni para eso. No necesitamos estar callados siete días como Ezequiel. Si tan solo fuéramos capaces de cerrar la boca, por siete minutos seguidos para escuchar, los pastores cometeríamos menos errores. Es necesario escuchar con atención e interés. Con mucha empatía, es decir, colocándonos en el lugar del otro, pero sin dejarnos arrastrar por su estado emocional. Todo ministro de Dios debe recordar que su objetivo es conocer a la persona que tiene delante, para después poder asesorar. Algunos creen que conocen a los feligreses porque los ven en los cultos y charlan con ellos de vez en cuando de cosas superficiales. Pero esas personas, seguramente, tienen adentro muchas cosas que el pastor desconoce. Los predicadores solemos ser oyentes impacientes, porque hemos sido entrenados para hablar. El Señor nos muestra que nos podemos comunicar también a través del silencio. Recordemos la actitud pastoral del Señor en el caso de la mujer adúltera en San Juan 8. Recordemos el lugar que ocupó el silencio en esa entrevista pastoral. Recordemos también el resultado.

Hay personas que les gusta hablar. También las hay que les cuesta hacerlo. En tales casos hay que asegurarles el interés por escuchar sus problemas y, si fuera necesario recordar algunos de los puntos que fueron planteados en el encuadre del primer encuentro. Si la información no viene sola habrá que hacer preguntas, y aquí debemos tener mucho cuidado. La pregunta es semejante al bisturí, el cual puede salvar vidas, o puede matar, todo depende de las manos que lo utilicen. Hay preguntas convenientes, y preguntas inconvenientes. Hay preguntas que abren puertas y otras que las cierran. Los problemas de pareja más comunes han sido explicados en los capítulos precedentes. Sobre esa temática tenemos que averiguar, pero hay que saber hacerlo.

Las personas que no tienen experiencia en este tipo de trabajo deberían recibir la supervisión de un pastor con experiencia. Sin necesidad de decir el nombre de las personas involucradas en un asesoramiento pastoral, me parece conveniente que un pastor de experiencia controle el procedimiento pastoral de otro que recién se inicia en el ministerio. Esta manera de proceder puede producir un doble resultado; por un lado el pastor joven aprende, y por el otro, los feligreses corren menos riesgo de ser perjudicados. Estos conceptos pueden resultar raros para algunos que entienden que, una vez que reciben el diploma de una institución teológica, están aptos para hacer cualquier cosa. A veces encontramos jóvenes pastores que hacen un excelente trabajo, pero otros hacen tremendos desastres. Aunque hay también pastores mayores que cometen grandes errores. Vivimos en un mundo cambiante. Si los que se gradúan en medicina deben hacer la residencia en un hospital, para formarse al lado de profesionales experimentados en diferentes especialidades; si los que egresan con el título de psicólogos, cuando trabajan responsablemente, buscan la supervisión de otros profesionales, ¿por qué no deben hacer lo mismo los pastores? Cuidado con preguntas fuera de contexto. Para asesorar una pareja hay que averiguar sobre su vida sexual. Y, eso, hay que saber hacerlo. Freud, que no fue pastor, enseñaba a sus discípulos que cuando estuvieran tratando temas sexuales con una mujer, debían hacerlo con el mismo cuidado y la misma escrupulosidad que un químico, cuando en su laboratorio, trabaja con explosivos. 1. ¿No es esto válido también para el pastor que tiene poca experiencia? No menos fácil es interrogar por separado, a los miembros del matrimonio tanto sobre su estructura de personalidad, como de la estructura familiar de la cual procede. Ni siquiera hay que utilizar la palabra estructura. No es cuestión de jugar a ser psicólogo. El pastor puede utilizar herramientas de la cultura, pero solo como medios para conocer a las personas a quienes deseamos ayudar a ser mejores cristianos, más felices en sus relaciones familiares y en la vida congregacional.

Como herramienta para las entrevistas de pareja suelo pedir a cada miembro de la pareja que haga su egograma y el alterograma de su cónyuge.

¿En qué consiste el egograma? En tres puntos fundamentales:

1. Hacer una lista de las que considera sus virtudes.
2. Hacer otra lista con los defectos que reconoce.
3. Hacer una lista de los sacrificios que estaría dispuesto a hacer para mejorar las relaciones matrimoniales.

¿En que consiste el alterograma? Alter, en latín, significa «otro». Luego hacer lo mismo con su pareja. Pero solo en los puntos 1 y 2. Esta tarea debe realizarla cada miembro de la pareja por separado y entregar al pastor el resultado de su trabajo, en sobre cerrado.

Entrevista con la pareja

Cuando el pastor se reúne con los cónyuges ha tenido tiempo de hacer un exhaustivo estudio del egograma y del alterograma que ha realizado cada uno. Como las personas no tienen igual capacidad para soportar momentos de tensión, el pastor deberá mantener lo más bajo posible, tanto la tensión emocional, como la voz. Cuando uno levante la voz, el pastor debe bajar la suya. Después de un cuidadoso estudio del egograma y del alterograma, el pastor tiene la oportunidad para comprobar si hay compatibilidades, o no. Si algunas de las virtudes que uno cree tener son reconocidas como tales por el otro, hay un buen pronóstico, y viceversa. Lo mismo podemos afirmar con los defectos. Hay personas que afirman tener muchas virtudes, pero ningún defecto. Lamentablemente, no se puede hacer nada por alguien que cree que su compañero/a es 100% culpable y que por su parte no existe culpa alguna. Yo no he conocido un solo caso en que la culpa haya estado en un solo lado; la responsabilidad siempre es compartida, en mayor o menor grado. Por otro lado, hay un nivel de angustia que las personas pueden soportar. Por eso lo del sobre cerrado. Según el caso, el pastor puede guardarse algunas cosas positivas que uno dice del otro, para sacarlas en el momento en que la situación se pone tensa. Cuando se encuentra muy poco positivo y mucho negativo en cada uno, no queda otro remedio que jugarse al tercer punto. El que se refiere a lo que cada uno está dispuesto a hacer por la felicidad de la pareja. Nunca podemos asegurar el éxito, pero si hacemos este trabajo es porque tenemos la esperanza de que se va a alcanzar algo positivo.

Encuentros matrimoniales terapéuticos

El asesoramiento pastoral a nivel personal es indispensable, pero a veces es útil el trabajo en grupo, por varias razones, aparte del ahorro de tiempo para el pastor. Suele ser beneficiosa para la socialización de un grupo de creyentes en una ciudad grande, que solo se ven el domingo en el culto. Recuerdo que surgió un matrimonio de un grupo terapéutico para personas solteras, aunque el objetivo no era ese. Fue un grupo que se organizó a partir de la lectura de un libro mío sobre los solteros, donde afirmo que los solteros en el fondo, a nivel inconsciente, procuran no casarse. 2. También he tenido grupos terapéuticos con homosexuales. En uno de mis libros me refiero a uno de ellos. 3. En ese libro, además de la información sobre el trabajo con el grupo de homosexuales, hay 13 páginas de reflexiones en torno a la importancia del trabajo en grupos, en el ministerio de la iglesia. Remito, al lector interesado, a la lectura de esos aspectos teóricos que no puedo repetir aquí. También he realizado psicoterapia grupal para matrimonios con dificultades. Voy a compartir con el amable lector una experiencia que me parece muy útil para los matrimonios de nuestras congregaciones, y como servicio a matrimonios amigos que podrían ser incorporados a la Iglesia.

En el año 1980 recibí de México una invitación muy especial. Procedía de la iglesia presbiteriana «Puerta de Salvación» del Distrito Federal de México. Se me explicaba que estaban orando por un avivamiento en su congregación. Pero habían sentido, como mensaje del Señor, que ese avivamiento no vendría hasta que se fortalecieran los vínculos matrimoniales de los miembros del Consistorio (Junta Directiva) de la congregación. El Consistorio estaba constituido por quince personas, todos varones. Me invitaban a dirigir un Retiro Espiritual, de tres días de duración, para los quince matrimonios.

Acepté la invitación y tuvimos el Retiro en la ciudad de Cuernavaca desde el 31 de enero hasta el 2 de febrero de 1981. Estoy muy contento de haber guardado el programa para poder comentárselo ahora. Me llama la atención el hecho de que los temas que traté en esa ocasión tienen mucho que ver lo que estoy desarrollando en esta obra. El programa lo dividí en los siguientes temas:

- ¿Por qué estamos casados?
- Aspectos estructurales de la pareja. ¿Por qué somos como somos?

- La vida espiritual y emocional de la pareja.
- La vida sexual de la pareja.
- Evaluación del Retiro. Establecimiento de pautas para conservar los resultados obtenidos.

Vamos a analizar cada uno de estos temas:

Unidad No. 1: ¿Por qué estamos casados?

Lamentablemente no conservo más que un breve bosquejo de la charla que les presenté sobre este tema. Pero recuerdo que, después de disertar sobre el concepto cristiano del amor y del matrimonio, me referí a las raíces del amor en un trabajo escrito por Freud, en el año 1914, titulado: «Introducción del narcisismo».[4] Les introduje en el pensamiento psicoanalítico sobre el amor con las siguientes palabras de Freud:

> Una tercera vía de acceso al estudio del narcisismo
> es la vida amorosa del ser humano dentro de la variada
> diferenciación en el hombre y en la mujer.[5]

Para Freud hay dos motivaciones para que se produzca el enamoramiento: Lo que denomina elección amorosa por apuntalamiento, o analítica, y la elección narcisista.[6] Según el bosquejo que conservo, también me referí a las imágenes infantiles inconscientes acerca de la relación entre los padres de cada uno de los cónyuges. Hablé de las motivaciones diversas que pueden incidir en la elección de la pareja. El último punto de mi bosquejo dice: «Incidencias de los determinantes de la elección en la vida amorosa».

Después de mi presentación, que duró una media hora, di la oportunidad para que cada matrimonio se reuniera a solas a reflexionar sobre mi presentación. Pero además, cada uno debía intentar contestarle al otro algunas preguntas. La primera es fundamental: «¿Tienes una idea clara de por qué me elegiste a mí?» «Reconociendo que cuando nos casamos éramos mucho menos maduros que lo que somos ahora, ¿cómo superar algunas consecuencias de la inmadurez que tuvimos en el pasado al hacer la elección?» «Las tensiones que tenemos en nuestro matrimonio, ¿son causadas por los motivos que creemos que las causan o se deben a otras cuestiones más íntimas de las cuales quizás no nos damos cuenta?» Les sugerí que seguramente, esas preguntas motivarían la aparición de otras. Estas no debían ser desechadas; por el contrario, estas eran las preguntas más importanes. Las mías eran solo para motivarlos. Les sugerí que pusieran por escrito los acuerdos y desacuerdos a que arribaran. Para mi sorpresa este trabajo llevó más tiempo del que yo esperaba. Entonces sugerí que los que terminaran usaran su tiempo como quisieran, mientras las otras parejas continuaban dialogando sobre sus preguntas.

En el programa original se habían incluido momentos de alabanza, de oración, y adoración. Pero no se había programado momentos de testimonio. Pero el Espíritu Santo lo puso en el programa. Lo inesperado fue que la mayoría de los matrimonios comenzaron a compartir sus experiencias de reflexión sobre las preguntas. También vinieron algunas preguntas que esperaban que yo les respondiera. Fue una experiencia muy edificante.

Unidad No. 2: Aspectos estructurales de la pareja

El bosquejo para mi charla de media hora es el siguiente:

1. Familia aglutinada en simbiosis patológica.
2. Familia esquizoide o dispersa.
3. Familia psicopática.
4. Familia hipocondríaca.
5. Familia normal.

Por lo que se ve, en 1981, yo seguía Bleger al pie de la letra. Por lo que han leído se habrán dado cuenta que, ahora, no creo en la estructura psicopática, ni en la hipocondríaca. Aunque reconozco la existencia de las psicopatías e hipocondrías, no acepto la existencia de esas tipologías. Porque como ya he dicho, Bleger no utiliza el concepto de estructura, este es de factura lacaniana. En la disertación expliqué lo que era un egograma y un alterograma.

Después de mi disertación hubo un tiempo para trabajo individual. Cada uno debía hacer su egograma y el alterograma de su pareja. Además debía responder la siguiente pregunta: ¿Qué estoy dispuesto/a hacer para mejorar mi vida matrimonial? En un segundo momento cada matrimonio debía reunirse para ver los puntos en que habían acertado y aquellos en que no había acuerdo. Yo estaba disponible para acudir en ayuda de cualquier matrimonio que la necesitara. Tuve que hacer varias intervenciones, pero el grupo en verdad, era excelente y colaboró muy bien. Claro que había dificultades; la cuestión fundamental era encontrar las soluciones.

También hubo oportunidad para testimonios, pero esta vez fue menor el grupo de parejas que quisieron compartir la alegría de las cosas que habían encontrado juntos. Una pareja, sin embargo, expresó sus desacuerdos con mucha honestidad, y pidió que oraran por ellos.

Unidad No. 3: La vida espiritual-emocional de la pareja

El bosquejo de mi conferencia es el siguiente:

- Introducción a la comprensión de nuestro mundo interior. El aparato psíquico y la necesidad espiritual en el ser humano.
- Religión y salud mental.
- Vida espiritual y fortalecimiento yoico.

En esta tercera unidad el trabajo se hizo más amplio. El grupo se dividió en tres, o sea, cinco matrimonios en cada uno. Debían discutir el tema que habían escuchado, o hacerme preguntas, pues yo circulé por los tres grupos. Además, cada grupo debía ponerse de acuerdo para responder el siguiente cuestionario:

1. Nuestra religión... ¿ayuda a la comunicación o establece barreras en el matrimonio?
2. ¿Estimula la libertad y la responsabilidad personal, o bloquea las relaciones íntimas?

3. ¿Contribuye esa expresión religiosa a que cada uno alcance la alegría de vivir?

4. Ayuda a encarar adecuadamente los problemas de la vida cotidiana?

5. ¿Pueden ustedes diferenciar la religión, como estructura eclesiástica, de la fe cristiana como un movimiento con poder espiritual? ¿Afectará la vida espiritual de las esposas el hecho de que todos los miembros del Consistorio sean varones? Cada grupo tenía un secretario, o secretaria, que debía informar sobre el resultado del trabajo a la reunión plenaria.

Demás está decirles lo rica que fue esa reunión plenaria. Han pasado quince años, pero todavía recuerdo con cuánta humildad se reconocieron errores estructurales de la Iglesia, y con cuánta frescura salió el descontento de algunas damas.

Unidad No. 4: La vida sexual de la pareja

Mi boquejo fue el siguiente:

- Pulsión sexual y complejo cultural.
- Reflexiones sobre el complejo de Edipo, cómo los hijos pueden afectar la vida de pareja.
- Represión sexual y su incidencia en la impotencia y la frigidez. Caminos de solución.
- La sexualidad en perspectiva cristiana.
- La sexualidad y la realización plena de la pareja.

Después de mi exposición se repartieron papeles y lápices para que todos los que desearan hacer preguntas al orador las pusieran por escrito. Todos debían entregar el papel, aun aquellos que no hubieran hecho ninguna pregunta. El objetivo era no identificar a quien tenía problemas en su vida sexual, más bien se deseaba identificar los problemas que existían en el grupo.

El propósito no era convertir al orador en el sujeto que se suponía lo sabía todo. Me propuse demostrar al grupo que las respuestas a todas las preguntas, podían surgir del propio grupo.

Porque lo que era un problema para un matrimonio, no lo era para otro y, charlando sincera y adultamente sobre el asunto, se podían ayudar entre sí. Es por eso que volvimos al sistema de tres grupos de cinco matrimonios cada uno. Las preguntas fueron clasificadas por tema y numeradas. De manera que en el plenario pudiéramos recibir tres respuestas para cada pregunta. Cada grupo contaba con su secretaria o secretario. Cuando el resultado del trabajo, de los tres grupos fue leído en el plenario, surgieron nuevas preguntas y se esclarecieron algunos problemas nuevos. Yo trataba que las dificultades fueran resueltas entre ellos, para que no dependieran de mi, porque yo me volvía a Buenos Aires, y ellos se quedaban en México.

Antes del culto de clausura tuvimos la evaluación del Retiro, el cual fue altamente satisfactorio. También se establecieron algunas pautas para dar continuidad al diálogo comenzado. Según informaciones posteriores, el Señor les concedió el avivamiento que deseaban.

He sido invitado a hablar en reuniones de matrimonios en muchísimas iglesias, de casi todas las denominaciones. En la mayoría de ellas, me da la impresión que no se desea entrar en la consideración de temas profundos. Se le suele dar prioridad a la comida que cada uno va a traer, al programa recreativo, y a elección de un buen orador que les proporcione una velada entretenida. Muchos de los pedidos que he recibido se refieren a temas psicológicos, a cómo hacer que sus hijos crezcan sanos, etc. Pero, son pocos los grupos que piden temas que tengan que ver con los problemas cotidianos de cada pareja. Creo que es necesario que la Iglesia le dé mayor énfasis al cuidado pastoral de la familia, a través del cuidado de los matrimonios. Sugiero que estas reuniones sean mucho más que encuentros sociales y recreativos. Quiera el Señor que este material pueda crear nuevas inquietudes que muevan a cambios en la metodología, y que se puedan obtener mayores resultados de la pastoral con los matrimonios.

Con este capítulo he terminado la primera parte de esta obra, que se ocupa de la relación de pareja, en perspectiva pastoral, a la luz del evangelio. En los próximos capítulos trataré el tema, tan importante, de las relaciones entre los padres y los hijos, con el mismo sistema de trabajo que la primera parte. Es decir, un esquema pastoral iluminado por el evangelio y, también, por los recursos de la cultura, que nos facilitan la comprensión de la Palabra de Dios. El último capítulo, dedicado a los pastores y a los laicos que ejercen funciones pastorales, será una especie de resumen de toda la obra.

Referencias bibliográficas

1. S. Freud, *Obras Completas*, vol. 12, p. 173. Recomiendo la lectura de todo el ensayo del cual tomo la cita. Es una obrita corta, de solo diez páginas titulada: «Puntualizaciones sobre el amor de transferencia». También recomiendo la lectura del capítulo siete de mi libro, ya citado, *Hacia una psicología pastoral para los años 2000*, donde advierto a los pastores sobre los peligros de la transferencia errática y la transferencia negativa. También señalo lo positiva que puede resultar la transferencia positiva deserotizada. Es decir, que puede existir un cariño por el pastor, que es desinteresado, y que ayuda al liderazgo dentro y fuera de la congregación.

2. J.A. Leon, *La problemática psicológica de los solteros*, Editorial Caribe, Miami, 1980.

3. J.A. León, «El asesoramiento pastoral por medio de grupos», *Psicología pastoral de la iglesia, pp. 93-129*.

4. S. Freud, Obras Completas, vol. 14, pp. 65-98.

5. *Ibid.*, p. 84.

6. *Ibid.*, pp. 84-88.

6

La función materna y la salud de los hijos

Durante cinco capítulos nos hemos ocupado de la integración de la pareja en el contexto de la fe cristiana, y de un adecuado nivel de salud mental. En este capítulo y en el próximo, vamos a reflexionar sobre la necesidad de que los padres cumplan cabalmente sus respectivas funciones, para asegurar que los hijos lleguen a ser sanos mental y espiritualmente. Creo necesario que los padres reconozcan que la influencia que ellos ejercen sobre sus hijos, será un factor determinante para que estos sean sanos o enfermos psíquicamente, y salvos o no salvos espiritualmente.

Sin salud mental es muy difícil lograr un adecuado crecimiento espiritual. Aunque reconozco que Dios es el Señor de todos los que a Él se entregan, sean estos neuróticos o psicóticos; aunque esta afirmación esté más allá de la comprensión humana. De igual manera, Jesucristo es el Señor tanto de las personas sanas físicamente, como de aquéllas a las cuales les falte la salud. Él es el Señor de todos los que lo aceptan como tal, sean estos ciegos o sordos, tuberculosos o cancerosos, etc.

La madre en proceso de revaluación

No quiero decir con este título que solo las mujeres que sean madres merecen ser revaluadas. Como cristianos debemos reconocer que la mujer, en general, ha sido devaluada por la cultura androcéntrica o machista. En el Antiguo Testamento la mujer se revaluaba solo por ser madre. Algo de eso queda en el Nuevo

Testamento. Refiriéndose a la mujer, San Pablo dice: «Pero se salvará engendrando hijos» (1 Timoteo 2.15). En este trabajo me refiero a la madre, y no a la mujer, por el solo hecho de que estamos trabajando el tema de la familia.

Hace sesenta años, en la Argentina, las mujeres no podían votar en las elecciones aunque tuvieran nivel universitario. No se les consideraba en condiciones de elegir a la persona que sería presidente de la nación, a los senadores, los diputados, etc. Sin embargo; podía votar una persona analfabeta siempre que fuera varón. Lo que ocurría en Argentina era una manifestación particular de un prejuicio universal. Veamos ahora una información de mi país de origen:

> Algo parecido sucedió con Henrietta Faber, que a principios del siglo diecinueve se disfrazó de hombre y trabajó como doctor en La Habana durante años, hasta que en 1820 se enamoró, reveló que era mujer y quiso casarse; momento en que fue detenida, juzgada y condenada a diez años de cárcel porque en Cuba las mujeres tenían prohibido estudiar y practicar la medicina.[1]

¿Por qué existían estas prohibiciones extrañas? Por una sencilla razón. Porque se creía que a las mujeres les faltaba algo. ¿Qué les faltaba? ¿Acaso inteligencia, honestidad, o cualquier otra virtud? No, nada de eso; la mujer ha sido discriminada porque se la ha considerado inferior por carecer de genitales masculinos. Desde los tiempos bíblicos y aun en nuestro siglo, la mujer ha estado devaluada, y lo sigue estando todavía en algunos ámbitos, incluso en algunas iglesias.

Nos encontramos en las postrimerías del siglo veinte, y llegando al comienzo del tercer milenio de enseñanza cristiana en el mundo. El contenido del párrafo anterior nos hace pensar ¡cuán lejos estábamos del ideal cristiano a principios de siglo veinte! Pero, a partir de esa experiencia nos podemos preguntar, ¿cuán lejos estaremos todavía? La salud o la enfermedad de la familia, cristiana o no, depende en gran parte de cómo esté estructurada la sociedad y la familia.

No debemos consolarnos pensando en que en el siglo diecinueve estábamos peor, porque entonces se compraban y vendían
seres humanos como esclavos, y algunos «fundamentaban» bíblicamente la inferioridad del ser humano de color negro, para poder
tratarlo como mercadería. Otros dudaban si estos tenían o no alma.
Los que vivimos en el siglo veinte solemos pensar en lo atrasado que
estaban los del siglo diecinueve. ¿Qué pensarán acerca de nosotros,
los habitantes de esta tierra en el año 2096?

San Pablo dijo, hace casi dos mil años: «Ya no hay judío ni
griego; no hay esclavo ni libre; no hay varón ni mujer; porque todos
vosotros sois uno en Cristo Jesús» (Gálatas 3.28). Sin embargo, en
el día de hoy hay judíos y no judíos, que son discriminados; también
hay esclavitud encubierta y hay mujeres devaluadas. Es de esperar
que el siglo veintiuno sea el siglo de la verdadera evangelización.
No el siglo del proselitismo egoísta y, a veces comercializado, sino
el siglo de la puesta en acto de la verdad del evangelio que Pablo
expresa en el texto citado. Entonces habrá justicia para todos los
hombres y para todas las mujeres, para todos los niños y niñas.
Entonces habrá familias sanas y cristianas.

Pero, ¡cuidado! Si la iglesia no se pone al día, si no pone en
acto el evangelio redentor de Jesucristo, la sociedad la dejará de
lado y el Señor proveerá otra institución que lo represente digna-
mente sobre la tierra.

Sin el permiso de la iglesia, la mujer está escalando posiciones en la estructura de la sociedad. Los cambios vienen sobre
nosotros cada vez con ritmo más acelerado sin que podamos impe-
dirlo. Estos cambios, los cuales no necesitamos mencionar porque
todos los conocemos, afectan a la estructura familiar. Uno de los
cambios que sí deseo mencionar es la creciente intensificación de la
actividad femenina en las ciencias, las artes, el comercio, la política,
etc. En un libro mío, aparecido este año, 1996, cuando me refiero a
las tensiones que solemos encontrar en la familia pastoral, digo:

> Por lo menos en Buenos Aires, y supongo que en el
> resto de América también, el número de mujeres que
> asisten a las universidades supera al de los varones.

Consecuentemente, en algunas profesiones, las mujeres ya superan a los varones en número. En el futuro ... ¿ocurrirá lo mismo con el ministerio cristiano.[2]

Ha surgido una corriente teológica feminista que está reclamando un trato justo para la mujer. Uno no debe opinar sobre lo que desconoce; por eso me he puesto a leer sobre el asunto. Es necesario que los cristianos, además de la Biblia, leamos todos los días el diario. Es necesario que estemos al día en lo que está pasando para ubicarnos ante la realidad. El jueves 14 de julio de 1994 leí en el diario La Nación, de Buenos Aires, un artículo que me hizo reflexionar en las consecuencias futuras que este podría ocasionar no solo a la iglesia, sino también a la familia. El titular del artículo del diario era el siguiente: «Dios no podrá ser nombrado en masculino por los anglicanos».[3] El subtítulo aclaraba: «Documentos: un sínodo de esa confesión decidió eliminar del culto las referencias que indiquen que el Creador tiene un sexo determinado».[4] Reproduzco parte del texto:

> LONDRES, 13, (ANSA): Dios ya no es de sexo masculino para los ingleses, según decidió hoy el sínodo de la iglesia anglicana. Con un documento aprobado hoy, el sínodo anglicano decidió que todas las referencias a Dios como un ser de sexo masculino deberían ser canceladas de la liturgia y de las plegarias para dar a la imagen del Creador un sentido más universal y ponerlo al paso con los nuevos tiempos. Padre, Señor, Él, o cualquier otra referencia que indique que Dios es de sexo masculino desaparecerán del culto anglicano, que desde 1534, bajo el reinado de Enrique VIII, se separó de la iglesia de Roma. El sínodo, sin embargo, rechazó las presiones feministas que pedían que Dios se volviera mujer y, por lo tanto, querían que se le llamara: Señora, Ella, Madre.[5]

Me quedé sorprendido de que una denominación tan extendida en el mundo como la anglicana, hubiera tomado semejante decisión. Confieso que me tomó por sorpresa. También me sorprendió el hecho de que las feministas deseaban todavía más de lo que lograron. Fue entonces que decidí investigar estas cuestiones. Comencé por la investigación de la teoría del género leyendo algunos artículos de revistas. Después me decidí a comprar una obra, de cuatrocientas quince páginas, escrita por la teóloga feminista Elisabeth Schüssler Fiorenza. La obra se titula *En memoria de ella*.[6] La compré con cierto prejuicio pensando que se refería al pasaje de la institución de la eucaristía: «Haced esto es memoria de mí». *Pensé que se trataba de un intento de feminizar a Jesús. Pero me equivoqué gracias a Dios. Me encontré con una obra seria, escrita por una teóloga muy bien formada e informada. Y aun más, estoy de acuerdo con mucho de lo que ella dice. Pero no la puedo acompañar en alguna afirmación aislada referente al Padre. Me ocuparé de ese tema en el próximo capítulo.*

¿Quién es ella, de cuya memoria se habla? La teóloga se refiere a la mujer que ungió los pies de Jesús. Dice con razón esta autora:

> En el relato de la pasión del Evangelio de Marcos se hace referencia de manera especial a tres discípulos: por una parte, dos de los doce —Judas, que traiciona a Jesús y Pedro, que lo niega— y por el otro, la mujer de nombre desconocido que unge a Jesús. Pero, mientras las historias de Judas y Pedro han quedado grabadas en la memoria de los cristianos, la historia de la mujer ha sido prácticamente olvidada.[7]

Bajo el título: EN MEMORIA DE ELLA, la autora ha colocado unas palabras de Jesús que a través de los siglos la cultura patriarcal ha tratado de ignorar. Habiendo sido ungido por la mujer, y habiendo escuchado las protestas de sus discípulos varones por el alto costo del perfume, el Señor pronunció la siguiente profecía: «Dondequiera que se proclame la Buena Nueva en el mundo entero, se hablará también de lo que esta ha hecho, en memoria de ella»[8] (Marcos 14.9, traducción de la autora).

La teóloga Fiorenza muestra a lo largo del libro que el discipulado de las mujeres en la iglesia primitiva no fue periférico, ni trivial. Nos dice:

El relato de la unción de Jesús por una mujer manifiesta ese punto de vista. En su forma final es la expresión de una comunidad que imagina ya una misión a lo ancho del mundo: dondequiera que el evangelio —buena noticia de la basileia— sea anunciado, en cualquier lugar del mundo, se recordará la praxis de esta mujer. Así como los profetas ungían en la frente a los reyes de Israel, así la mujer unge a Jesús. Le reconoce públicamente mediante una acción simbólica de carácter profético.[9]

La madre devaluada

Ya me he referido a la falta de los «genitales masculinos» que le ha impedido a la mujer votar en las elecciones «democráticas», de nuestro cultura llamada occidental y cristiana. Esto ocurrió hasta la primera mitad del presente siglo, período en que vivió Freud, ya que su fallecimiento se produjo el 23 de septiembre de 1939. La devaluación de la mujer, por su diferencia, sin devaluar a los varones, por ser flacos, gordos o pelados, constituye un prejuicio ridículo. Es porque estos tienen genitales externos, y ellas los tienen internos. No voy a dedicar mucho espacio al concepto freudiano de: «Envidia del pene». Me voy a limitar a citar las obras donde Freud reflexiona sobre ideas y prejuicios sobre la sexualidad que él encontró en su trabajo como analista. Estas ideas y prejuicios han confundido a la iglesia a través de los siglos. Se trata solo de una expresión cultural que no debemos confundir con el evangelio. La iglesia ha estado, y estará, enmarcada en su contexto cultural. De ahí la importancia de no confundir al evangelio con la cultura en que nos viene envuelto.

La cultura pesa, y ni Freud pudo escapar a su influencia. De ahí el desarrollo de la teoría de que las mujeres le envidian el pene a los hombres. El tema es mencionado por el creador del Psicoanálisis en nueve de los volúmenes de sus obras completas. Esto quiere decir que Freud lo consideró un tema importante en la elaboración de su teoría sexual. Para beneficio de los que deseen investigar sobre lo que pensó Freud al respecto, a continuación voy a señalar dónde se encuentran los textos que se refieren a «la envidia del pene». La primera aparición de este concepto ocurre en el año 1905, cuando escribe sus «Tres ensayos de teoría sexual».[10] Después, en el año 1908, en el artículo «Sobre las teorías sexuales infantiles».[11] En el año 1918 en: «El tabú de la virginidad (Contribuciones a la psicología del amor 3)».[12] En el año 1913, se refiere al tema en: «Experiencias y ejemplos extraídos de la práctica analítica».[13] En el año 1914, en: «Introducción del narcisismo».[14] En la conferencia No. 20, titulada: «La vida sexual de los seres humanos», año 1916.[15] En su trabajo de 1917 titulado: «Sobre las transposiciones de la pulsión, en particular del erotismo anal».[16] También encontramos el concepto de «envidia del pene» en su trabajo: «Sobre la psicogénesis de un caso de homosexualidad femenina» (1920).[17] Finalmente, en «El sepultamiento del complejo de Edipo», obra escrita en el año 1924.[18]

Si alguien ha tenido la paciencia de leer todo lo que Freud dijo con relación a la envidia que sienten, o han sentido algunas mujeres, hecho que las ha conducido a su devaluación, ya que muchas se lo hayan creído, levanta algunas preguntas: ¿Se trata de una cuestión cultural o forma parte de la esencia de la mujer? ¿Le falta algo a la mujer o tiene todo lo que tiene que tener? Sí, hay algo que le falta a la mujer, pero, es algo que no puede faltar en el varón. Me refiero a la condición de pecador de todo ser humano, hombre o mujer. Pero también está en ambos la imagen de Dios, según Génesis 1.27.

No quiero decir que Freud se haya equivocado. El analista analiza; esa es su tarea, pero, en forma similar al cambio que se produce en el analizante, a medida que su análisis avanza, así también cambia la humanidad a medida que cambia su contexto cultural. En el análisis de su realidad, Freud no se equivocó. Hay mucha historia en una misma geografía. Quiero decir que hay personas que, en Buenos Aires hoy, continúan viviendo como si estuvieran a principios del siglo veinte, cuando ya deberían estar viviendo a principios del veintiuno.

El concepto freudiano de «envidia del pene» fue propiciado por una cultura que devaluaba a la mujer. Durante mucho tiempo las jovencitas sufrieron una terrible dificultad que no afectaba a los varones; la de conseguir permiso de los padres para salir de noche. Cuando la hija se quejaba diciendo: «Pero a mi hermano lo dejan», la respuesta no se hacía esperar: «Pero él es varón». Ha existido una doble moral, una para las mujeres y otra para los varones. Los varones, para ser tales, debían «debutar». En mi juventud conocí casos de padres que llevaban a sus hijos al prostíbulo para que se hicieran hombres o le pedían a algún amigo que les hiciera el favor de llevarlos. Que yo sepa, a ningún padre de aquellos tiempos se le ocurría procurar que alguien ayudara a su hija a convertirse en mujer. Los hombres podían, las mujeres no. Luego, había una gran desventaja social y sexual en ser mujer. Si algo es malo, o inmoral, lo es para todos; igualmente, lo que es bueno lo es para todos. Es posible que esta situación haya contribuido a que algunas chicas hayan pensado alguna vez, que hubieran preferido ser varones. Entonces se trataría más bien de «envidia de privilegios».

Hoy la situación es otra. En Buenos Aires, la mayoría de los jóvenes de ambos sexos que van a bailar, en el caso de las denominaciones que no lo prohíben, regresan a sus hogares al amanecer. El argumento es que de día hay más seguridad que por la madrugada. Muchos jóvenes han perdido el «antiguo orgullo» y el «sentimiento de superioridad» por ser varón. La moda tiende a achicar las diferencias. En un contexto cultural como el nuestro, si viviera Freud, supongo que arribaría a conclusiones diferentes. De hecho, más de una vez rectificó puntos de vista expresados con anterioridad. Voy a reproducir un recorte de una entrevista con un joven de veintisiete años:

Le tengo envidia a mi esposa; cuando la veo alimentando a nuestra nena me quedo conmovido, perplejo. Veo cómo paulatinamente parte de su cuerpo va pasando al cuerpo de nuestra hijita. La alimenta, le da de comer de su propio cuerpo. Lo hace con tanto amor, pero yo no puedo hacerlo. La envidio, realmente la envidio.

Si Freud viviera hoy, ¿qué le diría a mi paciente?

Según el testimonio de los evangelios, nuestro Señor Jesucristo se ocupó en revaluar a los que estaban devaluados. De ahí la opción por los pobres que toma el Señor, principalmente según el Evangelio de San Lucas. Tanto la palabra hebrea ebion, como la griega *ptojós*, significan «pobre» en el sentido de persona en situación deficitaria. Las mujeres y los niños estaban entre los pobres. Sin embargo, en el evangelio gnóstico de Tomás, descubierto en el año 1945,[19] Jesús convierte en varón a su madre terrenal para que pueda tener acceso al reino de los cielos. Estas son las palabras del versículo 114, del evangelio de Tomás, escrito en el siglo cuarto:

Simón Pedro le dijo: «¡Que se aleje Mariham de nosotros!, pues las mujeres no son dignas de la vida». Dijo Jesús: «Mira, yo me encargaré de hacerla macho, de manera que también ella se convierta en un espíritu viviente, idéntico a vosotros los hombres: pues toda mujer que se haga varón, entrará en el reino del cielo».[20]

La madre compañera

La madre devaluada es el producto de una cultura andro-céntrica; la madre en proceso de revaluación es el campo de batalla del feminismo. Los varones y las mujeres que seguimos a Jesucristo no debemos ser ni machistas, ni feministas; solo debemos ser cristianos.

Como creyentes, no debemos aceptar que la madre sea una mujer devaluada por la represión cultural, tal como se expresa en los dos primeros momentos de la represión, como la explica Freud.[21] Tampoco debemos aceptar la revaluación de la mujer como síntoma, es decir, como retorno de lo reprimido en el esquema freudiano.[22] Ya me he referido a los tres momentos de la represión en el tercer capítulo en el punto «La Imago Dei y el complejo de Edipo» en *Represión y sublimación*, antes de ocuparme de las disfunciones sexuales.

Mi planteamiento es el de una madre compañera, colaboradora con su marido, para el logro de la salud integral de sus hijos. El significante «compañera», no tiene para mí un significado ideológico. El concepto me lo sugiere San Pablo cuando dice que «nosotros somos colaboradores de Dios» (1 Corintios 3.9). Labor, significa trabajo. Colaborar, significa trabajar juntamente con. Ese es el sentido del texto original en griego. *Sunergoi* quiere decir «compañeros de trabajo». La versión Reina-Valera traduce: «Colaboradores». Luego, si San Pablo puede hacer tal afirmación, con relación al ministerio, más lógico todavía es que la madre y el padre sean compañeros de trabajo en el cuidado de la salud física, mental y espiritual de sus hijos.

Deseo aclarar que el hecho de que haya colocado el tratamiento de la función materna antes de la paterna que veremos en el próximo capítulo, se debe a que en esta descripción de las funciones de la madre y del padre, sigo el esquema de Jacques Lacan sobre los tres tiempos del Edipo. En el cuarto capítulo dediqué solo tres líneas al primer tiempo del Edipo, donde la madre tiene el papel protagónico. Vamos a ahondar un poco más sobre este momento en la vida de todo ser humano. En este primer tiempo, el padre no existe para la criatura.

La castración simbólica es una elaboración teórica que permite articular el mito edípico en el devenir histórico del sujeto. En la estructura edípica además de la madre, el hijo y el padre hay un cuarto factor, el falo simbólico. El falo circula dentro de la estructura. La criatura es el falo de la madre en el primer tiempo del Edipo lacaniano. La primacía de la madre, o de quien la sustituya, es fundamental en este primer momento. Es por eso, que el capítulo lleva por título: la función materna, y no la maternidad. El hijo está determinado por el deseo de la madre. La criatura constituye su imagen a la imagen de la madre. En esta etapa prevalece «la mirada». Hay una fascinación en la mirada del bebé hacia su madre. Es como en la tragedia Edipo Rey, de Sófocles; el bebé lo ve todo como Edipo, pero no sabe donde está ubicado. Pero como en *Edipo Rey*, hay un momento en que la criatura descubre todo. Lo que Lacan llama el estadio del espejo, es lo que ocurre entre los seis y los dieciocho meses que la criatura descubre quién es. Él, o ella, es la imagen que tiene delante. Si la criatura se queda en el lugar del falo de la madre, tendrá serios problemas psíquicos durante toda su vida.

La función materna consiste en liberar a su criatura de la sujeción a su deseo. En otras palabras, darle lugar al padre para que este pueda cumplir su función, la cual veremos en el próximo capítulo. La función materna es también encarnar el amor, tanto para la criatura que ha traído al mundo, como para el padre de dicha criatura. Hay mujeres que, una vez que logran tener un hijo no se ocupan más de su marido. Ya no lo necesitan. ¡Cuánto daño hacen esas madres!

La función materna también consiste en ser un modelo de mujer. Para su hija, un modelo identificatorio. Para su hijo, el modelo de mujer, para elegir una semejante a ella, en el futuro. Freud escribió dos trabajos que se refieren a la elección de objeto amoroso en el varón; uno en el año 1910[23] y el otro en el año 1912.[24] De los dos podemos sacar la siguiente conclusión: «Para que a un hombre le guste una mujer, esta debe tener algo de parecido con su propia madre para que le despierte sentimientos de ternura. Pero, al mismo tiempo, debe diferenciarse lo suficiente de su madre para poder hacer el amor con ella».

La madre en el Nuevo Testamento

No voy a ahondar en la discusión sobre si las epístolas pastorales son o no paulinas. Es cierto que el gnóstico Marción (siglo II), no las incluyó en su canon. Él aceptó solo el Evangelio según San Lucas y diez epístolas de San Pablo, excluyendo 1 y 2 Timoteo y Tito. Yo creo que las epístolas pastorales son paulinas, pero retocadas posteriormente, para evitar el desprestigio que conllevaba la inclusión de diez de sus epístolas en el canon de la herejía marcionita, surgida en Roma hacia el año 144.

¿Para qué todas estas reflexiones? Solo para afirmar que me cuesta trabajo creer que el autor de Gálatas 3.28, quizás la más antigua epístola pauliana, sea también autor de 1 Timoteo 2.15.

Ciertamente no tenemos muchos elementos para hacer un estudio exhaustivo de la familia cristiana en el primer siglo. Algo intenté en el primer capítulo. Pero en Colosenses y Efesios tenemos algunos datos interesantes. Me voy a limitar a reflexionar sobre esta última epístola.

El concepto de unidad, en el seno de la familia, lo encontramos en Efesios 5.21-33 y 6.1-9. En estos textos aparecen tres factores en la dinámica familiar: El padre, la madre y los hijos. Hay un cuarto factor que no se ve a simple vista, es el vínculo del amor.

No tenemos muy claro en la Biblia cuál es la función de la madre en la familia cristiana de aquella época. Los capítulos 5 y 6 de la Epístola a los Efesios, y los pasajes paralelos de Colosenses nos ayudan mucho, pero quedan puntos oscuros con referencia a nuestra situación concreta hoy. Es necesario recordar que la mayoría de las epístolas de Pablo fueron escritas para orientar a las congregaciones locales sobre problemas particulares que se presentaban. El texto en cuestión no tiene como objetivo definir lo que debía ser la familia cristiana en su época. Pero ofrece algunas pistas:

- Para no colocarse fuera de la ley Pablo no condena la esclavitud, pero incorpora al esclavo dentro de la familia cristiana (Efesios 6.5-9).
- Acepta el predominio del varón, pero condicionándolo a que este sea capaz de amar a su esposa como Cristo a la Iglesia.
- Reconoce que los hijos tienen derechos además de deberes; este es un concepto revolucionario para su tiempo (Efesios 6.1-4).

El texto fundamental paulino sobre la familia cristiana comienza con las siguientes palabras: «Someteos unos a otros en el temor de Dios» (Efesios 5.21). Aquí temor no quiere decir miedo como experiencia psicológica, sino temor reverencial frente a la grandeza de Dios. Y es ante esa grandeza que marido y mujer deben tomar conciencia de sus limitaciones. También deben tomar conciencia de la necesidad de poner en acción el amor y la autoridad como actividad compartida.

La confusión entre evangelio y cultura ha llevado a muchos hombres a utilizar este texto como una excusa para convertirse en el tirano de su mujer. Esta confusión, sin embargo, no se utiliza hoy para prohibir a los cristianos que edifiquen sobre la arena, porque Jesús dijo que no se debía hacer (San Mateo 7.26,27). Hoy se reconoce que Jesús presentó esa enseñanza porque, en su tiempo, no existía el hormigón armado. En este caso, se distingue lo tecnológico de lo evangélico. ¿No les parece que la felicidad de la familia humana es mucho más importante que la construcción de un edificio?

Pero, aunque interpretemos literalmente el texto queriendo transplantar una cultura a otra, no es posible fundamentar que la función de la madre cristiana es la de estar sometida a su marido. El texto presenta la dialéctica característica de Jesús al referirse al reino de Dios en los Evangelios Sinópticos, o la perfección cristiana en el Sermón de la Montaña; o como denomina esta situación paradojal el teólogo Oscar Cullmann: «La tensión entre el "ya" y el "no todavía"». San Pablo presenta esta dialéctica, o situación paradojal, tres veces en la Epístola a los Efesios. La primera está referida al concepto de redención que se presenta como una conquista a disfrutar en 1.7 y como algo por adquirir en 4.30. La segunda al referirse a la unidad de la iglesia como algo logrado en 4.3-6 y como algo por alcanzar en 4.13. La tercera paradoja se encuentra en el capítulo 5 y se refiere al lugar de la mujer en la familia cristiana. Primero dice: «Someteos unos a otros en el temor de Dios» (5.21). Es decir, el marido también debe someterse a su mujer cuando corresponda. En el versículo siguiente dice: «Las casadas estén sujetas a sus propios maridos, como al Señor» (5.22). Podemos legítimamente preguntarnos, ¿debe someterse una mujer ante un marido brutal, injusto, egoísta, orgulloso y prepotente que represente la antítesis de Cristo? Algunas mentes retrógradas creen que por el solo hecho de la diferencia sexual anatómica, el varón es superior a la mujer. Lo que ocurre es que los machistas leen solo lo que les conviene para fundamentar sus prejuicios. No leen Efesios 5.21 ni tampoco Gálatas 3.28.

En el texto encontramos cuatro factores que debemos articular de acuerdo con nuestra cultura y en su temporalidad histórica: La madre, el hijo, el vínculo y el padre. Lo más importante parecería ser el vínculo que Pablo presenta en el sentido de autoridad amorosa. La madre puede ser hoy tan tirana con su marido como lo fue el marido ayer, con su mujer. Pero a veces nos encontramos con un par de tontos que son grandes, pero no adultos, que están tiranizados por «Su majestad el bebé». La gran contribución de la madre a la salud de sus hijos es no atraparlos en la telaraña de una unión patológica madre-hijo, que los dañe a los dos.

La falta de autoridad en equilibrio con el amor circulando entre los padres y con el hijo, ha producido la crisis de la familia hoy. Luego, la función de la madre es básicamente mantener el adecuado equilibrio entre el amor y la autoridad para la salud de su hijo, y cuando no hay un hombre, la madre puede cumplir la función paterna. A veces la función materna es cumplir ambas funciones, madre-padre simbólico. La madre puede hacerlo. Tanto la función materna, como la paterna, son esenciales para el logro de la salud integral de ser humano. Es decir, la salud de la mente, del cuerpo y del alma.

Si los seres humanos lográramos ser más mansos y humildes de corazón, nos amaríamos más, y nos respetaríamos más. A veces, por no saber o no poder amarnos bien, nos faltamos al respeto hombres y mujeres en el seno de la familia y aun en la iglesia. Cuando Dios creó al hombre y a la mujer a su imagen y semejanza (Génesis 1.27), creó una comunidad de iguales. La cultura patriarcal creó la sumisión de la mujer, es decir, su desvalorización. (Por ejemplo, los varones se podían divorciar, las mujeres no, cf. Deuteronomio 24). Pero nuestro Señor hace una nueva creación, su Iglesia. En la experiencia de Pentecostés hombres y mujeres recibieron el Espíritu Santo por igual para realizar un ministerio de iguales. En el sermón que San Pedro predicó ese día, hace explícita esa realidad haciendo alusión a la profecía de Joel, dice: «Y en los postreros días, dice Dios, derramaré de mi Espíritu sobre toda carne, y vuestros hijos y vuestras hijas profetizarán» (Hechos 2.17). La palabra profetizar en griego es *profetés* que significa «hablar en favor de alguien». Si esta palabra la dividimos en sus tres componentes, tenemos: *Pro-fe-tés*.

Pro significa «a favor de», *fe* viene del verbo *femí* que significa «hablar». (Por ejemplo, decir un eu-femismo significa «hablar bien», *eu* = «bien, bueno».) *Tés* sería el agente de la acción. Luego, un profeta cristiano no es necesariamente un adivino; es alguien que proclama la Palabra de Dios. San Pedro improvisa un sermón ante los hechos que tiene ante sus ojos. Y lo que ve, es que Dios llama por igual a hombres y mujeres a proclamar su Palabra. Si padres y madres, unidos, viven el evangelio, tendremos asegurado el futuro de la familia cristiana y su salud integral.

El poder de la palabra materna

Por lo general, es con mamá que aprendemos a pronunciar nuestras primeras palabras. Por eso, el idioma que hablamos se lo llama «lengua materna». Para el niño su palabra es sagrada, veraz e infalible. Aunque la cuestione a partir de la adolescencia, su palabra sigue teniendo una fuerza tremenda durante toda la vida del ser humano, para bien o para mal. Claro que el padre también influye, pero lo más arcaico y determinante es la palabra de la madre. En algunos casos es más evidente que en otros.

La madre ocupa un lugar primordial en la estructuración del psiquismo. En esta etapa temprana de la vida humana, si uno tiene la suerte de ser neurótico, por lo general se estructurará como obsesivo o como histérico. La pastoral evangélica se ha ocupado muy poco del estudio de la histeria, su historia y la posibilidad de encarar esta neurosis en el seno de la iglesia. La histeria está presente en las congregaciones, con mucha mayor frecuencia que lo que el común de la gente suele suponer. Ahora voy a mostrar al lector cómo esta neurosis se expresa en una creyente que ha estado en la iglesia toda su vida.

La persona que les voy a presentar la he llamado Dora II recordando el famoso caso Dora que Freud nos ha dejado como un caso clásico de histeria. Por cuanto en nuestra cultura ha disminuido la represión sexual, causa de la neurosis histérica, hoy no se encuentran casos tan graves como nos presenta Freud. No obstante, yo me he encontrado con algunos de ellos. Le estoy muy agradecido a esta hermana por permitirme utilizar parte de su historia para hacer bien a otros cristianos. La sintomatología de Dora II es frondosa. Presenta síntomas de «histeria de conversión», y también de «histeria de angustia». ¿Cuál es la diferencia? La histeria de conversión es aquella en la que predomina la conversión de los conflictos psíquicos en manifestaciones somáticas, tales como: Parálisis, anestesia, sensación de «bolo» faríngeo, etc. Freud introdujo el término: «Histeria de angustia» para aislar una neurosis cuyo síntoma principal es la fobia, que consiste en un temor sin objeto. Es decir, el sujeto no sabe por qué se le produce el miedo, pero lo siente. Es posible encontrar ambas manifestaciones en una misma persona, por la similitud estructural de ambas expresiones de la neurosis histérica.

Cuando Dora II vino a consultarme, tenía treinta y dos años, nunca había tenido novio, y sentía un rechazo consciente, muy grande, hacia los hombres. El motivo de consulta fue la parálisis que sufría al salir de casa. Me contó que fue a comprarle el diario a su padre al kiosco de revistas que se encontraba a cincuenta metros de su casa. Antes de llegar, cayó al suelo, y no podía levantarse. Varias personas conocidas la auxiliaron y, sentada en una silla, regresó a su casa. Una vez en casa comenzó a caminar normalmente. Desde entonces, no volvió a salir sola de casa. Una de las características singulares de este caso es que ella podía caminar fuera de casa, siempre que la acompañara un familiar. Acompañada vino a verme, durante algún tiempo. No sabía por qué no podía salir sola de su casa. Existía en ella una corriente inconsciente, contraria a la consciente, referente a su interés por los hombres. Conscientemente le producían rechazo; inconscientemente, se sentía atraída por ellos. Es por eso que temía «dar un mal paso», razón suficiente para no poder caminar sola por la calle; pero sí podía hacerlo cuando un familiar la acompañaba. Acompañada no haría nada malo.

Para entender el porqué de su trastorno, es necesario remontarse a su infancia. Ya a los tres años sentía terror a que la vieran orinar. Recuerda que sus padres la llevaban al campo y varias

veces tuvo que orinar en el suelo. Entonces se escondía entre los
árboles y exigía de los padres que se pusieran a vigilar a fin de que
le advirtieran si alguien se acercaba. ¿Por qué esta manifestación
temprana? A Dora II nunca le hablaron de la sexualidad en forma
directa, pero ella escuchaba las conversaciones de su madre con su
tía. Aquí se pone de manifiesto el poder de la palabra materna. Para
esta niña, lo que mamá decía era una verdad incuestionable. A
partir de estas conversaciones la niña elaboró, en su soledad, sus
propios mitos y miedos. Se produjo la represión y el miedo a todo
lo que pudiera tener alguna referencia a lo sexual.

Otro factor importante es que ella durmió en la pieza de sus
padres hasta la edad de siete años. La casa era grande, pero mamá
quería tener a la nena cerca. Por las noches escuchaba lo que
acontecía en la cama entre sus padres. A la mañana tenía otra
conducta extraña, no se dejaba tocar por el padre. También estaba
enojada con la madre. Veamos un recorte de su discurso: «Tanto
hablar con mis tías de que "eso" es una porquería, tanto hablar de
fulana y de mengana, y por las noches mamá hacía lo que criticaba,
ella sí que es una porquería». Dora se enojó con su madre por la
falta de coherencia entre lo que decía y lo que hacía. No obstante,
la palabra materna siguió siendo válida para ella. La niña pensaba
que la culpa de lo que acontecía la tenía el padre.

Dora II usó chupete hasta los cinco años, se orinó en la cama
(enuresis) hasta los catorce años, y tuvo su primera menstruación
tardía y traumática, a los dieciséis años. Este es el relato de su
experiencia con la menarca: «Empecé a sentirme mal. Me fui a casa
y me puse a llorar desesperadamente. Creía que algún órgano se me
había roto. Me vi llena de sangre. Mi abuela fue a buscar a mamá.
¡Sabe qué susto! Yo no sabía nada».

Los padres de esta niña eran muy fieles a la iglesia, pero no
fueron capaces de darse cuenta de que algo extraño le pasaba a su hija.
Jamás se les ocurrió pensar que pudiera necesitar ayuda profesional.
Los padres deben saber cómo, qué, y cuando hablar a sus hijos
acerca de la sexualidad. ¡Cómo se puede dañar a un hijo!

Uno de los síntomas de Dora II, que parecía «gracioso» a sus
padres, era su miedo irracional al trébol, planta que abundaba en

su jardín. En el curso del tratamiento pudimos descubrir que este objeto temido, el trébol, representaba simbólicamente los órganos genitales masculinos tal como ella los vio por primera vez cuando nació su hermanito.

Lo que voy a reproducir ahora son momentos en que lo inconsciente se expresa en el discurso de esta mujer joven:

—El primer varón desnudo que vi fue mi hermano al nacer; yo tenía seis años. Le miraba «las manos», pensé tomar el hacha y «cortársela».

Dice que le miraba las manos (plural), pero quería «cortársela». (Nótese que habla en singular.)

—¿Está usted segura de que eran las manos lo que realmente le quería cortar a su hermanito? —le digo.

—Claro que sí... ¿qué otra cosa podría ser? —fue la respuesta.

Le respondí que podría ser algo que a ella le faltaba. Contestó muy enojada:

— -A mí no me falta nada, en todo caso le sobra a él.

En lo que sigue ahora, nótese el uso del singular para referirse al trébol:

—El miedo al trébol coincidió con el nacimiento de mi hermano. Le temo hasta el día de hoy. Si me acerco al jardín me parece me va a saltar encima. De chica mi abuela me corría con un trébol para sacarme el miedo que le tenía. Recuerdo que sacudía los zapatos y las medias para evitar que un trébol «se me metiera adentro». Todos en la iglesia sabían que le tenía miedo, y en los picnics los chicos me corrían con el trébol. Yo me asustaba mucho, me quejaba al pastor y él los tranquilizaba.

Si yo le hubiera interpretado que la fobia al trébol era la simbolización de su miedo/deseo del pene, seguramente habría rechazado mi interpretación enojada. Le habría parecido que lo que le decía era totalmente ridículo y ajeno a ella. Traté que se fuera dando cuenta de a poco. En una intervención indirecta, azarosa, le comenté que me llamaba la atención que solo los chicos la corrieran con el trébol y que la chicas no lo hicieran.

Lo inconsciente insiste. En otra sesión surge espontáneamente su miedo al trébol, dice:

—Cuando el trébol es chico, no me asusta tanto, pero cuando crecen son asquerosos, me producen miedo y asco.

Era evidente que el trébol chico, que no asusta tanto, es el pene de un chico, el hermanito, y el que produce miedo y asco es el pene de un adulto. En lugar de hacerle la interpretación le pedí que dibujara el objeto temido, lo cual hizo con mucho entusiasmo y con muchos detalles. Hizo una obra perfecta. Cuando terminó le pregunté:

—¿A qué se parece?

—A un trébol... ¿a qué se va a parecer?

—A mí me parece a un pene y dos testículos, todo está muy bien dibujado, hasta el menor detalle —le respondí.

Se quedó sorprendida y después de pensar un rato respondió:

—Podría ser... ¡No sé!

—Usted sí sabe —le respondí—, fue por eso que quiso cortarle a su hermanito «lo que le sobraba». Es por eso que siente asco y miedo hacia el trébol.

Después de un largo silencio dijo:

—Voy a probar.

Al preguntarle qué era lo que iba a probar respondió:

—Voy a tocarlo en cuanto llegue a casa.

Ese día asombró a sus padres al salir al jardín y regresar con un trébol en la mano. Una interpretación psicoanalítica solo sirve cuando produce frutos. Es decir, cuando ocurre algún cambio en un paciente por causa de esa interpretación.

En la siguiente sesión me dice muy contenta: «Todos los días he tocado tréboles, cuando los toco tengo la sensación de que he ganado amigos. Encontré algunos grandes y también los toqué. Imagino que alguien me pasa tréboles por la cara y por los pies y no me da ni temor ni asco. (Nótese que ahora habla en plural.)

Al estar consciente de la causa que producía su fobia, desaparece el miedo y el asco. Al conocer a qué le tenía miedo y que eso que temía era algo que también deseaba, pudo salir sola a la calle sin temor a que las piernas no pudieran sostenerla. La conversión histérica desapareció. También el miedo a los hombres. Hoy Dora II está casada.

La interpretación de los sueños es el camino real a lo inconsciente. Algún día alguien va a escribir un libro sobre la interpretación de los sueños en la Biblia.

Cuando a un sueño se le da un tratamiento terapéutico se parte del contenido manifiesto, es decir, de lo que la persona cuenta haber soñado, para arribar a lo latente, que son las causas reales que lo produjeron. El contenido manifiesto es una especie de disfraz que esconde elementos inconscientes muy importantes que están latentes. Vamos a ver el contenido manifiesto de un sueño de Dora II, que se escribe en tres líneas, pero que produce mucho material a partir de sus asociaciones. Este es el contenido manifiesto: «Yo estaba en un juicio oral y concurría mucha gente. Usted, que estaba a mi lado, me decía: "Ya vamos a ver como se las aguanta cuando tenga que estar en el frente desnudo y le pinchen el pene y los testículos"».

Más de la mitad del sueño está referida al analista, quien está a favor de la paciente. Juntos vamos a ver cómo «él se las aguanta, cuando le pinchen...» Comienzo preguntándole:

—¿A quién iban a pinchar?

—Era un hombre joven que aparentemente había hecho mucho daño —responde ella—. Tuve que ver algo con él, de otra manera no tenía por qué estar en el juicio. Era morocho. Estaba como suspendido contra una pared. Había mucha madera, como la plataforma de una iglesia. El piso, la plataforma, el techo todo lo asocio con la iglesia. Usted estaba a mi lado y me decía muchas cosas. La gente que estaba presente parecía gente de la iglesia. Los bancos eran similares a los bancos de la iglesia.

Le pregunté si ese hombre colgado contra la pared podría ser su hermano, y me respondió:

—Era joven, más o menos de la edad de mi hermano. Podría ser, aunque no era su cara.

—¿Qué asocia usted con pincharle el pene a un hombre? —le pregunté y su respuesta fue inesperada.

—Lo cambiaban varias veces, lo pensé cuando le cambiaban los pañales, pero no era fácil, me descubrirían.

—Pero... ¿usted tenía ganas de hacerlo?

—Sí, a la verdad que sí. Es un cuerpo desprolijo, no es bonito. Le veía bonita la cara, los bracitos, pero los genitales le arruinaban el cuerpito.

—¿Qué asocia usted con un juicio?

—Tengo grabadas en mi mente las relaciones sexuales entre mis padres; me producían asco. Hacían esas porquerías y al día siguiente se ponían a leer la Biblia y hasta oraban. A papá lo habría reventado. ¿Cómo le hacía eso a mamá? Yo suponía que a ella le molestaba. Siendo la casa tan grande... ¿por qué me hacían dormir con ellos? Me daba asco, vomitaba mucho y casi no podía comer. Casi no podía tragar la carne asada.

—¿Qué asocia con carne asada?

—En casa siempre hubo gatos, eran parte de la familia. Casi todos los gatos eran castrados. Si no los castraban se iban. Una vez tuvimos cinco gatos. Cuando nací ya había gatos en la familia, castrados claro; me gustaba más jugar con los gatos que con las muñecas. Mi hermano hacía algunas travesuras y después empezaba a decir: «No me pegues mamá», y lloraba. Yo nunca le di a mamá el gusto de verme llorar, lloraba después, a solas. Castrados eran más limpios. El gato entero orina por todos lados, el castrado no. Además, orinan distinto, se agachan como las gatitas. El entero para la cola y orina contra cualquier cosa. Un gato me arruinó unos discos, uno entero. ¡Me dio una bronca!

—¿Quién castraba los gatos?

—Mamá lo hacía, los llevaba al veterinario y yo los aguantaba.

Es evidente que ella quería pinchar (castrar) al joven del sueño que era su hermano. Quería que orinara como ella (una gatita), agachada. Mamá es la que castra, la que no le dio un pene. Aparece la «bronca» contra su madre: «No le di el gusto de verme llorar». Pero Dora II aceptaba la autoridad de su palabra al reprimir todo lo relacionado con lo sexual. El síntoma es el retorno de lo reprimido. Inconscientemente, sentía temor de dar el «mal paso» por la atracción que sentía hacia los hombres. Es por eso que para no desobedecer la palabra materna, no podía caminar cuando salía a la calle sola; pero podía hacerlo si la acompañaba un familiar y en el interior de su vivienda no tenía dificultad alguna. El sueño del juicio se lleva a efecto en un templo, representa un reclamo inconsciente de Dora II. Este es un juicio donde los imputados son los padres de Dora II, especialmente la madre. Cada lector puede convertirse en juez de este caso. Quien lo haga, debe preguntarse si él o ella, no debería también sentarse en el banquillo de los acusados, para responder sobre lo que han hecho con la educación sexual de sus propios hijos.

Un juicio a los padres de Dora II

- ¿Por qué no se dieron cuenta que el terror de una nena de tres años a que la vean orinar no era normal?
- ¿Por qué la madre y la tía hablaban libremente sobre la sexualidad en presencia de la niña? ¿Acaso creían que era sorda? ¿Por qué no hablaron con ella también sobre la sexualidad a la medida de lo que ella era capaz de comprender? ¿Por qué la obviaban por completo?
- ¿Por qué la madre fue tan sobreprotectora de su hija haciéndola dormir en su propia pieza? ¿Es eso amor? ¿Creía que su hija era ciega y sorda?
- ¿Por qué no advirtieron que era anormal que una niña no se dejara tocar por el padre, como si le tuviera asco, cada mañana cuando ellos habían tenido relaciones sexuales?
- ¿Por qué no se dieron cuenta que no era normal que una criatura usara chupete hasta los cinco años y se orinara en la cama hasta los catorce?
- ¿Cómo pudo la madre esconder su propia menstruación, de tal manera que a los dieciséis años Dora II no conocía su existencia en las mujeres?
- ¿Por qué no aprovecharon el nacimiento del hermanito para explicarle la diferencia anatómica entre los sexos, para evitar que la nena elaborara su propios miedos y mitos?
- ¿Por qué no se dieron cuenta que la fobia al trébol era un ingrediente más en la complicada problemática psicológica de su hija? ¿Por qué no se les ocurrió

procurar ayuda profesional cuando era niña, adolescente o joven? ¿Fue necesario que se cayera en la calle para iniciar su tratamiento a los treinta y dos años y por propia iniciativa?

- ¿Por qué el afán castrador de la madre? ¿Por qué hacía participar a su hija en la castración de los gatos?
- ¿No es el sueño del juicio, un juicio a los padres que la llevaron todos los domingos a la Escuela Dominical, al culto y a otras actividades eclesiásticas, pero que no supieron darle la orientación sexual que necesitaba?
- ¿Qué lugar ocupaba el padre en esta familia? ¿Solo el de violador de su esposa? ¿Por qué no le puso límites a su mujer en la cuestión de la castración? ¿Por qué no asumió él la responsabilidad de la educación sexual de su hija ante la incapacidad de su esposa para hacerlo?

Me imagino que muchos padres, al terminar la lectura de este capítulo pensarán: ¡Qué difícil es ser madre o padre! Ciertamente lo es cuando no se ha recibido la formación y la información necesaria. Es relativamente fácil de hacerlo, cuando se entiende que la sexualidad es un maravilloso regalo de Dios que debe expresarse en el contexto del amor responsable.

Referencias bibliográficas

1. Rosa Montero, *Historia de las mujeres*, Santillana S.A. (Alfaguara), Madrid, 4a. edición, 1996, p. 23.
2. J.A. León, *Hacia una psicología pastoral para los años 2000*, Editorial Caribe, 1996, Miami.
3. Diario *La Nación*, 14 de julio de 1994, p. 2.
4. *Ibid.*
5. *Ibid.*
6. E. Schüssler Fiorenza, *En memoria de ella*, Desclée de Brouwer, Bilbao, 1989.
7. *Ibid.*, p. 15.
8. *Ibid.*, p. 3.
9. *Ibid.*, p. 202.

10. S. Freud, «Tres ensayos de teoría sexual», *Obras Completas*, vol. 7, p. 177.

11. *Ibid.*, «Sobre las teorías sexuales infantiles», vol. 9, pp. 186,194

12. *Ibid.*, «El tabú de la virginidad (Contribuciones a la psicología del amor, 3), vol. 11, p. 200.

13. *Ibid.*, «Experiencias y ejemplos extraídos de la práctica analítica, p. 200.

14. *Ibid.*, «Introducción al narcisismo», v. 14, p. 89.

15. *Ibid.*, «20a. Conferencia: La vida sexual de los seres humanos», v. 16, p. 290.

16. *Ibid.*, «Sobre las transposiciones de la pulsión, en particular del erotismo anal», vol. 17, pp. 199-22.

17. *Ibid.*, «Sobre la psicogénesis de un caso de homosexualidad femenina, vol. 18, pp. 148,161.

18. *Ibid.*, «El sepultamiento del complejo de Edipo», vol 19, pp. 185,186.

19. A. De Santos, *Los evangelios apócrifos*, Biblioteca de autores cristianos, 1993, Madrid, p. 678.

20. *Ibid.*, p. 705.

21. S. Freud, «La represión», *op. cit.*, vol. 14, p. 143.

22. *Ibid.*, pp. 148-149.

23. *Ibid.*, «Sobre un tipo particular de elección de objeto en el hombre», vol. 11, pp. 155-168.

24. *Ibid.*, «Sobre la más generalizada degradación de la vida amorosa», pp. 169-184.

7

La función paterna y la salud de los hijos

Cuando me refiero a la salud, tanto en este capítulo como en el anterior, me estoy refiriendo a la salud integral del ser humano, es decir: Alma, mente y cuerpo.

En la obra de Freud y de Lacan aparece en forma muy destacada la importancia del padre para la salud mental de los hijos. Este tema se encuentra en el centro de la reflexión de ambos autores. Ciertamente, la manera en que los hijos se relacionen con el padre, o quien cumpla su función, va a determinar el nivel de salud o de enfermedad de cada sujeto humano. Invito al lector a seguirme en un breve recorrido por la obra de estos dos hombres que tanto han hecho para hacer posible la comprensión de la mente humana.

La importancia del padre según el psicoanálisis

En la celebración del centésimo aniversario del nacimiento de S. Freud, el día 16 de mayo de 1956, Lacan pronunció un discurso en el que afirmó que existe un hilo de Ariadna que atraviesa toda la obra freudiana. Dice Lacan: «De cabo a rabo, desde el descubrimiento del complejo de Edipo hasta Moisés y el monoteísmo, pasando por la paradoja, extraordinaria desde el punto de vista científico, de Totem y Tabú».[1] Estas citas me sugieren colocar fechas. Freud se refiere por primera vez al complejo de Edipo en la carta No. 71 al Dr. Fliess, de fecha 15 de octubre de 1897.[2] *Moisés*

y *el monoteísmo* es una obra escrita entre 1934 y 1938. Freud fallece
el 23 de septiembre de 1939.

En la carta No. 71, partiendo de la interpretación de un sueño
propio, afirma Freud: «También en mí comprobé el amor por la
madre y los celos contra el padre».[3] Compara la tragedia Edipo Rey
de Sófocles, con el Hamlet de Shakespeare. Treinta años más tarde
añade una tercera obra correlativa. En *Dostoievsky y el parricidio*, nos
dice:

> Difícilmente se debe al azar que las tres obras maes-
> tras de la literatura de todos los tiempos traten del mismo
> tema, el del parricidio: *Edipo Rey* de Sófocles; *Hamlet* de
> Shakespeare; y *Los hermanos Karamazov* de Dostoievsky.
> Además, en las tres queda al descubierto como motivo
> del crimen la rivalidad sexual por la madre».[4]

En esta última obra afirma que no es necesario matar al padre.
Con desear su muerte es suficiente para producir la culpa.[5]

En la primera lección de su Seminario sobre la Ética del
Psicoanálisis, titulada: «Nuestro programa», Lacan se ocupa del
asesinato del padre de la horda primitiva, del mito de Totem y Tabú,
en dos de las tres partes en que divide este capítulo. En la primera
plantea la cuestión a través de dos preguntas:

> ¿Es esta acaso la culpa que en su inicio designa la
> obra freudiana, el asesinato del padre, ese gran mito que
> Freud ubicó en el origen del desarrollo de la cultura? ¿O
> es que esta culpa más oscura y más original todavía, cuyo
> término llega a plantear al final de su obra, el instinto de
> muerte en suma, en tanto que el hombre está anclado en
> lo más profundo de sí mismo, en su terrible dialéctica?[6]

En la segunda parte del capítulo se refiere al origen de la moral,
y vuelve sobre el mito con relación a lo que este engendra y
encadena y nos dice: «Desde este punto de vista, la transformación
de la energía del deseo permite concebir la génesis de la represión».[7]

En la tercera parte se refiere a tres de los ideales analíticos: El amor humano, la autenticidad y la no dependencia.

En el segundo capítulo, me referí al amor en el matrimonio; el amor al que me refiero ahora no es cualquier amor. Se trata de aquel de cuyo origen da cuenta el mito. Lo llamaremos amor ético. ¿Por qué adjetivar el amor? ¿No es algo similar a lo que hace Lacan cuando nos habla del amor humano?

El amor ético es un amor secundario hacia el padre y lo que este representa. El amor primario es preedípico. Freud lo describe en el capítulo 7 de *Psicología de las masas y análisis del yo*,[8] donde se ocupa de la identificación. Referente a este amor nos dice Roberto Harari:

> La referencia al amor está presente porque Freud dice que esta identificación es previa a cualquier elección de objeto. Si tenemos en cuenta el mito edípico, el cuentito edípico, centrado en particular en el varón, esa identificación-padre, dice Freud, prepara el Edipo.[9]

Sobre el amor secundario, al que llamo ético, nos dice Freud en *El malestar en la cultura*:

> Asimos por fin dos cosas con plena claridad: la participación del amor en la génesis de la conciencia moral, y el carácter fatal e inevitable del sentimiento de culpa. Nos es decisivo, efectivamente, que uno mate al padre o se abstenga del crimen; en ambos casos uno por fuerza se sentirá culpable, pues el sentimiento de culpa es la expresión del conficto de ambivalencia, de la lucha entre el eros y la pulsión de destrucción o de muerte.[10]

Para Freud, la génesis del sentimiento de culpa se remonta al asesinato del padre primordial o padre de la horda primitiva.[11] Llama la atención el paralelismo que tiene este mito con la historia bíblica de Génesis 3 sobre la caída del hombre. El mito da cuenta de un origen. Independientemente de si Edipo o Narciso tuvieron, o no, existencia histórica, estos mitos dan cuenta de la realidad cotidiana de la presencia en los seres humanos del narcisismo y del complejo de Edipo. El mito de Totem y Tabú da cuenta del surgimiento de la cultura por medio del sentimiento de culpa, el arrepentimiento, el amor y de la ley moral.

Para Freud el pecado original es el asesinato del padre primordial. Sobre este crimen dice Lacan: «Lo importante de Totem y Tabú es ser un mito y, se lo ha dicho, quizás el único mito del que haya sido capaz la época moderna. Y es Freud quien lo inventó».[12]

En su obra, *El malestar en la cultura*, Freud reflexiona acerca del arrepentimiento y nos dice:

> Ese arrepentimiento fue el resultado de la originaria ambivalencia de sentimientos hacia el padre; los hijos lo odiaban, pero también lo amaban; satisfecho el odio tras la agresión, en el arrepentimiento por el acto, salió a la luz el amor; por vía de la identificación con el padre, instituyó al superyo, al que confirió el poder del padre a modo de castigo por la agresión perpetrada contra él, y además creó las limitaciones destinadas a prevenir una repetición del crimen.[13]

Aquí aparecen, otra vez, los tres elementos que, en mi opinión, le dan consistencia a la ética psicoanalítica: Amor, culpa y ley moral mediante el arrepentimiento. No hay que ser un teólogo para darse cuenta que, estructuralmente, Freud presenta el esquema de la redención cristiana, pero sin Cristo. Según la fe cristiana quien muere no es el Padre, sino el Hijo por mandato del Padre. El Hijo tiene como intencionalidad dejarse asesinar para redimir a los asesinos.

Freud correlaciona el sentimiento de culpa y la necesidad de castigo en *El malestar en la cultura*, en los siguientes términos:

> Los enfermos no nos creen cuando les atribuimos un «sentimiento inconsciente de culpa»; para que nos comprendan por lo menos a medias, les hablamos de una

necesidad inconsciente de castigo en que se exterioriza el sentimiento de culpa.[14]

En esta obra no hace más que reafirmar lo que había escrito catorce años antes, en 1916, en *Algunos tipos de carácter dilucidados por el trabajo psicoanalítico*,[15] obra dividida en tres ensayos. El segundo ensayo, que lleva por título: «Los que fracasan al triunfar» lo termina diciendo:

> El trabajo psicoanalítico enseña que las fuerzas de la conciencia moral que llevan a contraer la enfermedad por el triunfo, y no, como es corriente, por la frustración, se entraman de manera íntima con el complejo de Edipo, la relación con el padre y la madre, como quizás lo hace nuestra conciencia de culpa en general.[16]

El tercer ensayo: «Los que delinquen por conciencia de culpa», según James Strachey: «Echó una luz totalmente nueva sobre los problemas de la psicología del delito».[17] En este ensayo la culpa no aparece como efecto del delito sino como causa. Podemos concluir que en estos casos si el delito produjera culpa sería secundaria; la primaria se remonta al pasado. Dice Freud: «Este oscuro sentiminto de culpa brota del complejo de Edipo; es una reacción frente a dos grandes propósitos delictivos, el de matar al padre y el de tener comercio sexual con la madre».[18]

El último aspecto que deseo subrayar en *El malestar en la cultura* es que Freud señala que la tarea terapéutica muy a menudo debe estar encaminada a combatir al superyo y a rebajar sus exigencias.[19] Esto se debe a lo que señaló en «El yo y el ello» en el contexto de la segunda tópica del aparato psíquico: «El superyó puede ser hipermoral y, entonces, volverse tan cruel como únicamente puede serlo el ello».[20] En su Seminario sobre la Ética, Lacan afirma que el psicoanálisis parecería tener, como único objetivo, apaciguar la culpa.[21]

Por la importancia del mito del asesinato del padre de la horda primitiva no puedo dejar de mencionar, aunque muy brevemente, una obra fundamental de Freud: *Dostoievsky y el parricidio*.[22] Me voy a limitar a mencionar algo muy importante que no aparece en las obras ya citadas. Me refiero al complejo de castración. Freud nos dice que se resigna el deseo de poseer a la madre y de eliminar al padre; este deseo se conserva en lo inconsciente y forma la base del sentimiento de culpa.[23] Dice que cada castigo que recibe Dostoievsky «es en el fondo la castración y, como tal, el cumplimiento de la vieja actitud pasiva hacia el padre y el destino mismo no es en definitiva sino una tardía proyección del padre».[24] Así, interpreta Freud, acepta al zar de Rusia como padre sustituto que lo castiga. En palabras de Freud: «La total sumisión al padrecito zar».[25]

Hasta aquí he presentado la importancia del padre para el ser humano según Freud y Lacan. Más adelante vamos a ver su incidencia en la salud o la enfermedad mental. La fe cristiana y el psicoanálisis no son necesariamente contradictorios entre sí. Son caminos paralelos, son discursos diferentes que apuntan a distintos objetivos. La fe cristiana apunta a la salvación del alma y a la plenitud de vida en Cristo en este mundo. El psicoanálisis apunta hacia la salud mental, o sea, a la salvación de la mente de su posible alteración.

Más adelante vamos a volver sobre el complejo de Edipo y su incidencia en la salud mental, y la participación del padre en su superación. Este complejo es un proceso normal en la vida de todo ser humano, que debe ser canalizado por la adecuada actitud de la madre y del padre. Un accidente en el Edipo, puede producir trastornos mentales leves o graves. Puede producir: Una neurosis, una psicosis o una perversión, como estructura, y rasgos de otra estructura.

Freud creyó que el cuentito de la horda primitiva era real. Lacan solo le reconoce el valor que tiene un mito. El mito explica el origen de algo, que de otra manera no se podría explicar. Si bien hemos dicho que la fe cristiana y el psicoanálisis son caminos paralelos con objetivos diferentes, el mito edípico, como se expresa en Totem y Tabú donde los hijos llegan al asesinato del padre, según el psicoanálisis, hace surgir en el ser humano nuevos estados anímicos: culpa, arrepentimiento, y la necesidad de castigo para pagar el delito cometido. Las enfermedades psicosomáticas son una de las maneras que tiene el hombre de pagar su culpa. Es evidente el paralelismo con la concepción cristiana del pecado y de la necesidad de redención. Quizás es en la enfermedad que ambas líneas paralelas se tocan. Porque los conflictos espirituales también pueden trasformarse en enfermedad.

La función del padre en la fe cristiana y en el psicoanálisis

El hogar cristiano, tal como se nos revela en la Epístola a los Efesios, es una innovación en el mundo grecorromano del primer siglo. El testimonio de las familias cristianas debe haber hecho un gran impacto sobre las familias paganas. El judaísmo, como todas las religiones antiguas, asumía que todos los derechos estaban reservados al varón, al padre de familia y todos los deberes a la esposa y los hijos. San Pablo insiste en que los derechos y los deberes son recíprocos. Hoy como ayer, el ideal cristiano nos impulsa a procurar que dentro de la familia *haya* una independencia equitativa, una dependencia mutua y una obligación recíproca bajo el dominio del amor, el respeto mutuo, el ejercicio de la autoridad y el señorío de Jesucristo sobre toda la familia.

Recordemos que San Pablo escribió la Epístola a los Efesios desde una cárcel romana. Como no deseaba agravar más su situación procesal condenando a la esclavitud, institución legalmente constituida en todo el Imperio, la «espiritualiza». Incluye a los esclavos en la familia cristiana. Por eso hace dos advertencias a los amos cristianos:

- Ellos también tienen un Señor en los cielos, que es el mismo Señor de los esclavos.
- Para Dios no existen diferencias entre los seres humanos. Es decir, en ese momento la esclavitud era legal para el Imperio Romano, pero siempre ha sido ilegal para el Dios-Padre (Efesios 6.9).

Estos dos principios son válidos tanto para los padres como para los hijos, para los esclavos como para los libres. La función del padre es la de un embajador, quien representa a su gobierno en tierra extraña. Así el padre humano es un representante del Padre Celestial. La necesidad de un padre solo debe concebirse como originaria. Es decir, se trata de la necesidad del Padre-Dios.

Por eso no es indispensable un hombre para que haya un padre. Porque la función paterna puede ser cumplida cabalmente por la madre. Tal es el caso de los niños que quedan huérfanos del padre humano. Si la madre los educa bien, estos jamás perderán al Padre Celestial.

La sumisión a la autoridad paterna es una escuela preparatoria del niño para que después pueda someterse a la autoridad divina. Es una etapa intermedia en la pedagogía de Dios a fin de conducir a los hombres a la sujeción divina.

La crisis de la familia hoy tiene mucho que ver con la crisis de la autoridad en general. En su afán de evitar el autoritarismo en el seno de la familia muchos padres han caído en una actitud permisiva que ha traido funestas consecuencias para la salud social. Para Jacques Lacan: «La función del padre, está en el centro de la cuestión del Edipo».[26] En el capítulo anterior, reflexioné sobre Efesios 5.21-33 y 6.1-9, para referirme a la función materna. Ahora vuelvo sobre ese texto para ocuparnos de la función paterna. No haré un estudio exegético exhaustivo. Me voy a limitar a reflexionar sobre dos conceptos fundamentales para comprender la función paterna que son: El amor y el misterio.

El amor

La sujeción de la mujer al marido está condicionada a que este sea capaz de amarla «así como Cristo amó a la Iglesia, y se entregó a sí mismo por ella» (Efesios 5.25). Luego la primera función del marido-padre es amar según el modelo de amor de Cristo. Más adelante dice que «los maridos deben amar a sus mujeres como a sus mismos cuerpos» (Efesios 5.28). Esta parecería ser una nueva versión del «ama a tu prójimo como a ti mismo», pero referida al área cuerpo. El *eros*, como se denomina en griego a la llama de la pasión sexual, no aparece explícitamente en este texto, pero es evidente que está implícita. *Eros* es una palabra muy famosa y distinguida en la poesía griega y también en su mitología. Tampoco aparece *filia*, que se refiere al amor de la amistad. En este texto bíblico aparece siempre el amor *ágape*. Esta palabra exquisita significa amor en su pureza y profundidad espiritual. *Es el amor del alma.* Representa al amor de Dios y al de nuestra propia alma. Este es el afecto específicamente cristiano. Es la característica distintiva de Dios, quien según 1 Juan 4.8 es *ágape*. Es el sublime amor que el evangelista sintetiza en los siguientes términos: «porque de tal manera amó Dios al mundo, que que ha dado a su Hijo unigénito, para que todo aquel que en él cree, no se pierda, más tenga vida eterna» (Juan 3.16).

Ser cabeza significa autoridad. En griego cabeza se dice *quefalé* que a su vez, es el corazón del concepto de *ana-quefala-iosis*, que presenta Pablo relacionado con el *misterio* de la revelación divina, en Efesios 1.9-10. Es decir, el propósito de Dios es poner a Jesucristo como cabeza, es decir, como única autoridad, sobre todo lo que está en el cielo y en la tierra. Luego la autoridad en el contexto del amor-ágape es el vínculo que une, como cuarto elemento, la relación padre-madre-hijo. Es decir, la familia.

La analogía es perfecta en cuanto al amor pero no es tan perfecta en cuanto a la autoridad porque Jesucristo además de Cabeza es Salvador. El marido no puede salvar a su mujer, ni viceversa; solo Cristo puede salvar. Aunque Pablo en otro texto donde se refiere a la vida conyugal nos dice: «Porque ¿qué sabes tú, oh mujer, si quizás harás salvo a tu marido? ¿O qué sabes tú, oh marido, si quizás harás salva a tu mujer? (1 Corintios 7.16).

De todas maneras esta imagen, como todas, tiene sus limitaciones. ¿Acaso podemos imaginar a San Pablo escribiendo: «Por eso Jesucristo dejará a su Padre y a su Madre y se unirá a la Iglesia y los dos serán una sola carne?» La función del padre como salvador, en el vínculo amor-autoridad, solo la podemos descubrir en el área mente, referente a la salud mental. Esto está relacionado con el concepto de misterio.

El misterio

La familia reunida dentro del concepto de *anaquefalaiosis* en Cristo, es decir, la reunión de todas las cosas bajo Jesucristo, es el sentido de Cristo cabeza de la Iglesia en lo real, también es aplicado al marido con relación a la mujer, pero simbólicamente. Esta realidad lleva a San Pablo a exclamar: «Grande es este misterio; mas yo digo esto respecto de Cristo y de la iglesia» (Efesios 5.32). En otras palabras, es real la condición de Cristo como cabeza de la iglesia. Por analogía se habla de la autoridad (condición de cabeza del hogar) del marido.

Lo que se juega acá es el concepto bíblico de *misterio* que no tiene nada de «misterioso». Concepto aplicado tanto a la actividad de Cristo como Señor de la Iglesia como a la relación familiar y otros aspectos que Pablo menciona en la Epístola a los Efesios. A continuación voy a copiar un párrafo de mi libro *Teología de la Unidad* donde me ocupo de este asunto:

En Efesios 1.10 nos encontramos con el verbo *ana-quefalaiosasthai*, un infinitivo aoristo de voz media. El aoristo nos da la noción de acto acabado, puntual. El Reino de Dios ya se ha iniciado efectivamente en la vida y ministerio de Jesucristo. Comienza a realizarse lo que Dios se había propuesto (versículo 9). Sin embargo, el verbo nos da la idea de proceso. Encontramos la tensión tan común en el Nuevo Testamento entre el «ya» y el «todavía no». En la misma epístola aparece esta tensión entre la obra ya realizada por Jesucristo y lo que falta para su consumación en lo referente a la redención y a la unidad, lo cual veremos más adelante. La voz media según Oltramare y Abbott subrayaría el interés que Dios tiene en el asunto. Con mucha razón tanto Beare como Abbott señalan que el verbo *anaquefalaiosasthai* es un infinito explicativo del *misterio*. Se entiende de *misterio* como una verdad que Dios ha mantenido velada por algún tiempo, pero que en un momento nos es dada a conocer. San Pablo nos dice que el *misterio* ha sido preparado desde la creación del mundo (1 Corintios 2.7), que ha sido escondido en Dios (Efesios 3.9), que ha sido velado de los siglos (1 Corintios 2.8; Efesios 3.9; Romanos 16.25 y Colosenses 1.26). Pero Dios nos ha revelado en Cristo su propósito de poner bajo el señorío de Jesucristo a todos los hombres (Efesios 1.9-10), que los gentiles son coherederos y copartícipes de la promesa en Cristo Jesús (Efesios 3.5,6).[27]

El exhaustivo estudio que hace San Pablo sobre el concepto de *misterio* como algo escondido, reservado por Dios, para darlo a conocer a los hombres cuando estos son capaces de comprenderlo, por ejemplo, que no hay diferencia entre judío y gentil ante el amor de Dios. ¿Cómo no pensar que Dios aprovecha los conocimientos científicos que los hombres han podido alcanzar gracias a que se los dio a fin de que tengan la posibilidad de descubrir lo que amplía en ellos la revelación de Él?

Teniendo en cuenta todo lo dicho sobre el concepto de *misterio*, como la revelación diacrónica de Dios a medida que el ser humano va siendo capaz de comprenderlo, voy a referirme al complejo de Edipo, ese cuentito freudiano, tal como lo ha elaborado el psicoanalista francés Jacques Lacan.

El complejo de Edipo y la Epístola a los Efesios

Por los personajes que nos presenta el texto de San Pablo en Efesios 5.21—6.9, el padre, la madre y el hijo, circula un vínculo que es el de la autoridad ejercida con amor. En San Pablo aparece claramente la primacía de la función paterna, sin la cual no puede existir salud mental, como veremos más adelante. Esto no significa ser machista; todo lo contrario. Estoy de acuerdo con Lacan, cuando dice: «No hace falta un hombre para que haya un padre». Es decir, la madre, u otra persona, puede cumplir la función paterna. No voy a realizar un estudio bíblico sobre este texto, pues el lector tiene posibilidades de hacerlo. Me voy a limitar a reflexionar solo en el plano psicológico. Este texto de San Pablo lo podemos correlacionar con los lugares lógicos del complejo de Edipo, según Lacan. Aquí dejo un desafío a cada estudiante de este Manual. Ahora les hablaré solo del complejo de Edipo, según la interpretación de Lacan. Para entender la elaboración lacaniana es necesario tener en cuenta el concepto de estructura como lugares que pueden ser ocupados por personas diferentes. Lacan toma el concepto de estructura de Levi Strauss en su obra *Estructuras elementales del parentesco*.[28] Se trata de una estructura intersubjetiva en la cual hay algo que circula y que le da a cada uno, en el momento de tenerlo, una posición particular. Un buen ejemplo de esta situación es el juego del anillo que circula entre un grupo de personas sentadas en círculo. La persona que está en el centro tiene que adivinar quién lo tiene. Cada uno al tenerlo siente algo especial hasta que pueda pasarlo inadvertidamente a la persona que tiene a su lado. En este juego, el valor de una determinada persona depende de algo que le es ajeno, algo que circula entre las personas. En esta estructura lo que circula es el orden de la valoración en el sentido de perfección. Alguien que lo acaricia cree que adquiere un valor especial por tenerlo. Cree que tiene importancia por sí mismo, es como si fuera él mismo el anillo.

A este «algo especial» Lacan lo denomina «falo imaginario». Para Lacan el falo imaginario es todo aquello que le permite al sujeto tener la ilusión de que no le falta nada, que está completo. El objeto que cumple la función de falo imaginario puede ser cualquier cosa. En el mundo cristiano evangélico puede ser, por ejemplo, la confesión cristiana a la que se pertenece. Este es el caso de quien cree ser miembro de la iglesia que posee el monopolio de la verdad, que cree que su denominación es la única que está calcada de los textos bíblicos. En otras palabras estas personas se sienten plenas, seguras y, sin darse cuenta, están afirmando: «Tengo el falo simbólico porque soy... ista, o... iano... o al». Por supuesto que muchas otras cosas pueden funcionar como falo simbólico: Una carrera universitaria (soy muy importante, tengo el «santo anillo» porque soy doctor en...), también puede utilizarse como falo simbólico el liderazgo en la iglesia. Igualmente, el poder que produce el dinero y, lo que lamentablemente es cada vez más común en el mundo de hoy, el vicio y la corrupción. Supongo que en nuestra época hay más personas que se están entregando al falo imaginario de la droga que las que se están convirtiendo a Jesucristo. La iglesia está haciendo algo al respecto, pero, nada está bien hecho si se puede hacer mejor.

La prevención del estado de sujeción al pecado, el vicio y la corrupción, pasa necesariamente por el fortalecimiento del vínculo autoridad-en-amor en cada familia como nos sugiere San Pablo en Efesios capítulos 5 y 6. A su vez, este fortalecimiento es posible por la circulación no accidentada del falo simbólico, según el esquema estructural desarrollado por Lacan. Un accidente en el Edipo convierte a muchas personas en terreno bien preparado y dispuesto para caer en las peores expresiones del pecado y la enfermedad mental.

El falo inscribe una ausencia, es decir, una falta como si fuera una presencia. Por ejemplo, un nombre puede estar presente en el Registro de Defunciones, pero se trata de una presencia ausente, porque no existe esa persona, está muerta. De la misma manera el pecado, como falo simbólico intenta rellenar el agujero de una carencia, pero no conduce a la vida sino a la muerte, aunque el drogadicto tenga la fantasía de plenitud de vida. Esa carencia no se adquiere en la adolescencia, la juventud, o la vida adulta. Viene de la infancia; se juega en el triángulo edípico. La predisposición a ser un inadaptado social está ya en muchas personas desde su niñez. Dicho de otra manera: La dinamita está, solo falta el detonante que la haga estallar. Y este mundo nuestro está lleno de situaciones detonantes. En el vínculo del amor florecen los límites colocados por la autoridad sana. Esos límites conducen hacia la salud plena, del alma, de la mente, y también del cuerpo.

Veamos ahora cómo un accidente en el Edipo puede crear tantos trastornos en el ser humano, según el desarrollo que aparece en *Las formaciones del inconsciente*.[29] La estructura edípica, según Lacan, se expresa en tres tiempos. En el primer tiempo el niño *es* el falo, cree serlo. La madre *tiene* el falo, cree tenerlo. Aquí el niño es el falo imaginario, el que produce la ilusión de estar completo.

En el segundo tiempo se produce la separación de la célula narcisista hijo-madre fálica. O sea, la primitiva relación del recién nacido con su madre. El padre interviene en el momento adecuado para producir la separación. El chico pasa de ser alguien sujetado al deseo de la madre a un sujeto independiente del deseo de la madre, mediante lo que Lacan denomina metáfora paterna. Esa es una función paterna básica. Lacan utiliza una expresión religiosa cuando se refiere al: «Significante del nombre del Padre». Esta sería la representación de una autoridad última, es decir, la Ley. En la Biblia las tablas de la Ley son entregadas a Moisés quien actúa como un representante de Dios. La Ley se identifica con el Padre eterno, no con el padre mortal, Moisés. Otra vez vemos la correlación entre la revelación cristiana y el enfoque psicoanalítico lacaniano. La preclusión del significante del Nombre del Padre desencadena lo que comúnmente se denomina «locura». En otras palabras sin Ley —sin límites— no hay salud mental. Sin amor tampoco. Debo detenerme para explicar qué significa preclusión. No es lo mismo que la represión, esta es el mecanismo característico de la neurosis. La preclusión es la manera particular de reprimir que tienen los psicóticos. En la neurosis lo reprimido retorna, desde adentro, en el síntoma. En el psicótico, lo real retorna desde afuera, desde el exterior, especialmente en forma de alucinación. La tercera estructura del psiquismo, según Freud, es la perversión, cuyo mecanismo característico es la renegación. Este concepto es más comprensible si se piensa en un renegado. Es decir, en alguien que, por ejemplo, teniendo una fe religiosa o perteneciendo a un grupo humano, actúa contradiciendo su fe, o como si no perteneciera a dicho grupo. El perverso conoce la ley moral, pero no la obedece. Por el contrario, actúa contra la moral y la ética sin sentirse culpable.

En el capítulo 3 vimos los tres tiempos de la represión. A su vez, la neurosis se sostiene sobre tres pilares que Freud define en su obra: *Inhibición, síntoma y angustia*.[30] Estos tres pilares se encuentran en la vida cotidiana de la mayoría de los seres humanos, y son el campo de trabajo de la actividad pastoral. ¡Cuántas personas inhibidas hay en nuestras congregaciones! ¡Cuántos síntomas se padecen sin tener la menor idea de su origen! ¡Cuántas angustias hay que soportar en la vida! ¿Por qué? Las hay por causas reales y también las hay producto de la neurosis. Tanto la acción de la psicoterapia, en cualquiera de sus expresiones, como la tarea de asesoramiento pastoral, tienen como objetivo último convertir la culpa neurótica en culpa existencial. Para la culpa real, la fe cristiana ofrece el perdón de pecados mediante el arrepentimiento y la aceptación, por la fe, de Jesucristo como Señor y Salvador personal.

Pero volvamos al concepto de preclusión. Lacan adopta el término francés *forclusión*, para traducir del alemán *verwerfung*, que es el modo de defensa constitutivo de la psicosis. Cuando se tradujo del francés al castellano el *Diccionario de Psicoanálisis* de J. Laplanche y J.B. Pontalis, que ya he citado, los traductores, los doctores Garma, Cesio y Langer, no estaban familiarizados con la terminología lacaniana; por eso tradujeron *forclusión* por *repudio*. A continuación la definición de repudio, para que el lector pueda compararla con la de preclusión a fin de comprobar que se trata del mismo concepto:

> Término introducido por Jacques Lacan: mecanismo específico que se hallaría en el origen del hecho psicótico; consistiría en un rechazo primordial de un «significante» fundamental (por ejemplo: el falo en tanto que significante del complejo de castración) fuera del universo simbólico del sujeto. El repudio se diferencia de la represión en dos sentidos: 1) Los significantes repudiados no se encuentran integrados en el inconsciente del sujeto. 2) No retornan «desde el interior», sino en el seno de lo real, especialmente en el fenómeno alucinatorio.[31]

Creo que debo aclarar qué quiere decir Lacan con la palabra significante. Este es un término que él toma de la Linguística de Ferdinand de Saussure (1857-1913). Un significante es: «Todo aquello que significa algo para alguien». La palabra correcta para traducir forclusión no es repudio, sino preclusión. Pero... ¿de qué se trata? Es un concepto jurídico. En los procedimientos procesales hay una serie de etapas que van hacia una meta: dictar sentencia. Cada etapa tiene su principio y su final, y no es posible volver atrás. El proceso judicial va siempre hacia adelante, hacia la sentencia. Igualmente en el proceso del desarrollo psíquico si faltó el significante del nombre del Padre, que es lo mismo que el establecimidento de la ley de la prohibición del incesto; no se puede volver atrás. Lo que no fue dicho cuando había que decirlo, aunque se diga después, no surte efecto alguno en favor de la salud mental.

En su ensayo titulado: *De una cuestión preliminar a todo tratamiento posible de la psicosis*, Lacan nos dice: «Es llamado Nombre del Padre, puede pues responder en el Otro un puro y simple agujero, el cual por la carencia del efecto metafórico provocará un agujero correspondiente en el lugar del significante fálico».[32] En la misma obra aclara: «Es en un accidente de este registro y de lo que en él se cumple, a saber la preclusión del Nombre-del-Padre en el lugar del Otro, y en el fracaso de la metáfora paterna, donde designamos el efecto que da a la psicosis su condición esencial, con la estructura que la separa de la neurosis».[33] Estas dos citas de Lacan pueden parecer chino básico para algunos. Voy a tratar de explicarlas, porque se refieren a la función paterna y a la salud de los hijos. Se trata del carozo de la salud o de la enfermedad mental. Habiendo explicado el significado de preclusión y del significante del nombre del padre, ahora voy a tratar de esclarecer qué significa el «agujero en la estructura psicótica». Otra cita de Lacan puede aclararnos esta que resulta más difícil. Hablando de la preclusión dice:

Si concebimos la experiencia como un pedazo de tela constituido por hilos entrecruzados, podríamos decir que la represión se representaría en él por algún desgarrón o descosido, que siempre cabría remendar de nuevo, mientras que la «preclusión» figuraría en él por alguna abertura debida al tejido mismo; en suma un agujero original que no podría encontrar nunca su propia sustancia, ya que esta no habría sido nunca otra cosa que sustancia de agujero (*trou*), y aquel no podría ser anulado, siempre de un modo imperfecto, más que por medio de otro retal.[34]

Lacan se refiere así al agujero dejado en el lugar del significante fálico, que es lo mismo que decir que faltó en su tiempo debido, la prohibición del incesto. En cuanto al Otro, con mayúscula, Lacan le da varios significados en general se refiere a lo inconsciente. Cuando se refiere al Otro primordial, quiere decir: la madre, y la impronta que esta ha dejado en su hijo.

En el segundo tiempo del Edipo se produce lo que Lacan denomina «castración simbólica», la cual está insertada en la cultura mediante la prohibición del incesto. El elemento que circula, el falo (o el anillo en la imagen que usamos), en el primer tiempo, es el hijo. En el segundo, es el padre en el momento de la castración simbólica. Lo es el padre como representante de la Autoridad. En el tercer tiempo, el chico tiene el falo. De la dialéctica del *ser* (primer tiempo), se pasa a la dialéctica del *tener* (tercer tiempo), metáfora paterna mediante. La metáfora paterna es una especie de repercusión en el sujeto de la castración simbólica. El chico tomará entonces como propias las insignias del padre, su modelo identificatorio, tendrá deseos de ser como él. Eso es lo que ocurre en una persona supuestamente normal. Los tres tiempos del edipo lacaniano no son tiempos cronológicos, sino lógicos. No se puede fijar una edad precisa para cada uno de estos tiempos, porque no hay dos sujetos iguales. Todo este proceso transcurre entre los cuatro y seis años de vida. Es en esa etapa que se completa la estructuración del psiquismo, y se determina cómo uno va a ser durante el resto de su vida. De ahí la importancia del ministerio con los niños. Esta cuestión de la estructuración del sujeto durante la niñez, ha sido revelada por Dios en el siguiente precepto bíblico: «Instruye al niño en su camino, y aun cuando fuere viejo no se apartará de él» (Proverbios 22.6).

En una apretada síntesis no es fácil resumir algo tan denso como la interpretación lacaniana del complejo de Edipo, la cual no es superponible a la de Freud. Solo he querido descorrer una cortina para que los que no conocen a Lacan puedan ver la posibilidad de articular su pensamiento con lo que nos dice San Pablo en Efesios en lo referente al lugar del padre en la familia. A tales personas les recomiendo un libro escrito por un autor francés, Joël Dor, titulado:

El padre y su función en psicoanálisis,[35] que es una buena introducción a los desarrollos de Jacques Lacan acerca de la función paterna y su relación con la salud mental.

¿Es posible encontrar una familia absolutamente sana en alma, mente y cuerpo? Yo no he encontrado una sola todavía. Pero debemos esforzarnos por acercarnos a ella. De igual manera que no es posible *«ser perfectos como nuestro Padre que está en los cielos es perfecto»* (Véase San Mateo 5.48). Sin embargo, muchos cristianos intentamos transitar por el proceso de la santificación. ¿Por qué no aceptar el desafío de procurar una familia sana?

Pero debemos recordar que, sin cumplimiento cabal de la función paterna, no hay salud mental, y sin salud mental, no hay familia sana, aunque vayamos a la iglesia todos los días. A menos que Dios haga un milagro. Nos guste o no, hay personas enfermas en nuestras iglesias, y familias enfermas también. Pero no debemos olvidar que Jesucristo es el Señor, tanto de los sanos, como de los enfermos, siempre que lo acepten como tal.

El lugar de los hijos en la familia

San Pablo en Efesios 6 apela a los padres y a los hijos con relación a los deberes y los derechos de cada uno. El estilo de la Epístola me hace pensar que el apóstol esperaba que todos estuvieran presentes en el culto en el momento en que su carta fuera leída. Del documento se desprende la idea de que el hijo tiene el legítimo derecho a la desobediencia cuando el padre le exige algún acto contrario a la voluntad de Dios expresada en su Palabra. Luego la autoridad del padre humano es relativa, por cuanto él no es mas que un representante de la autoridad absoluta, Dios nuestro Señor.

La única autoridad absoluta e incondicional es la de Dios. Los padres también estamos subordinados a su Ley. Por lo tanto, no podemos disponer libremente de la autoridad que nos ha sido confiada.

Los padres cristianos deben aceptar la soberanía de Dios quien ha concedido dones particulares a sus hijos para que cumplan una determinada vocación. (Vocación viene del verbo latino *vocare* que significa llamar.) Dios nos llama a los que somos padres y no debemos rechazar ese llamado. No solo por la salud de nuestros hijos, sino por el futuro de la humanidad.

La función paterna es básicamente cumplir la voluntad de Dios para cada uno de nuestros hijos. Por lo tanto los padres cristianos debemos pedir la dirección divina a fin de orientar adecuadamente a nuestros hijos. Debemos hacerlo con mucha humildad. La buena intención no alcanza. Alguien dijo que «las calles del infierno están empedradas con buenas intenciones». Es obvio que todos los padres nos equivocamos, pero lo más grave del asunto es que los que más se equivocan suelen creer que hacen las cosas bien, sobre todo en el ambiente de la iglesia.

Es evidente que vivimos en un mundo en crisis debido a la gran escasez de hogares cristianos. El futuro del mundo dependerá en gran manera de la calidad de los hogares actuales. La crisis que vive la sociedad actual es es gran manera una crisis expresada en las relaciones familiares. No es cristiano todo lo que parece serlo. No es cristiano todo lo que se llame por ese nombre.

San Pablo afirma que «no hay autoridad sino de parte de Dios» (Romanos 13.1). En el mundo de hoy hay una gran crisis de autoridad, la cual se debe fundamentalmente a que padres desobedientes a Dios pretenden ser obedecidos por sus hijos. El resultado de esa contradicción se encuentra ante nuestros ojos.

Referencias bibliográficas

1. J. Lacan, *La psicosis*, Seminario No. 3, Paidós, Buenos Aires, 1981, p. 349.
2. S. Freud, *Obras Completas*, «Fragmentos de la correspondencia con Fliess», vol. 1, 1892-1899, pp. 305-308.
3. *Ibid.*, p. 307.
4. *Ibid.*, «Dostoievsky y el parricidio», vol. 21, p. 185.
5. *Ibid.*, p. 187.
6. J. Lacan, *La ética del psicoanálisis*, seminario No. 7, Paidós, Buenos Aires, 1988, p. 11.
7. *Ibid.*, p. 111.

8. S. Freud, *op. cit.*, vol 18, pp. 99-104.

9. R. Harari, *Discurrir el psicoanálisis*, Nueva Visión, Buenos Aires, p. 138.

10. S. Freud, *op. cit.*, «El malestar en la cultura», vol. 21, p. 128.

11. *Ibid.*, pp. 126-28

12. J. Lacan, *op. cit.*, p. 214.

13. S. Freud, *op. cit.*, «El malestar en la cultura», vol. 21, pp. 127,28.

14. *Ibid.*, p. 131.

15. *Ibid.*, vol. 14, pp. 323-339

16. *Ibid.*, p. 337.

17. *Ibid.*, pp. 315-316.

18. *Ibid.*, pp. 338-339.

19. S. Freud, *op. cit.*, «El malestar en la cultura», vol. 21, p. 138.

20. *Ibid.*, «El yo y el ello», vol. 19, pp. 54,55.

21. Lacan, J., *op. cit.*, p. 13.

22. S. Freud, *op. cit.*, «Dostoievsky y el parricidio», vol. 21, pp. 173-191.

23. *Ibid.*, p. 181

24. *Ibid.*, p. 182.

25. *Ibid.*, p. 184.

26. J. Lacan, «Las formaciones del inconsciente», Seminario No. 5, transcripción de J.B. Pontalis, Ediciones Nueva Visión, Buenos Aires, p. 85

27. J.A. León, *Teología de la Unidad*, Editorial La Aurora, Buenos Aires, 1971, pp. 17-18.

28. Levi Strauss, *Estructuras elementales del parentesco.*

29. J. Lacan, «Las formaciones del inconsciente», Seminario No. 5, edición fotocopiada. Esta es una versión mucho más amplia que la que cito en la nota No. 26.

30. S. Freud, *op. cit.*, vol 20, *Inhibición, síntoma y angustia*, pp. 71-161

31. J. Laplanche y J.B. Pontalis, *op. cit.*, pp. 396,397.

32. J. Lacan, *De una cuestión preliminar a todo tratamiento posible de la psicosis*, en Escritos 2, Siglo Veintiuno Editores S.A., México, D.F., 1975, p. 540.

33. *Ibid.*, p. 556.

34. A. Rifflet-Lemaire, *Lacan*, Editorial Sudamericana, Buenos Aires, 2a. edic., 1981, p. 365. Es una cita del artículo titulado: «A propos de l'épisode psychotique que présent l'homme aux loups» (Leclaire). De la publicación: «La psichanalise», No. 4, 1957.

35. J. Dor, *El padre y su función en psicoanálisis*, Ediciones Nueva Visión, Buenos Aires, 1989.

8

Las necesidades fundamentales de los niños

En el título de este capítulo hay dos palabras clave: Necesidad y fundamental. Diríamos que «necesidad es la falta continuada de lo que precisamos para la conservación de la vida». Esto referido a lo material. El ser humano tiene, además, necesidades inmateriales. El hombre debe completarse espiritual y psíquicamente. Así, el ser humano podrá disminuir la cantidad de enfermedades del cuerpo, mediante la adecuada maduración espiritual y mental. Al hablar de fundamental, nos referimos a las bases afectivas y espirituales sobre las cuales se va a construir una vida adulta a partir de la niñez.

Las necesidades de los hijos

No siempre los padres sabemos lo que nuestros hijos necesitan, pero por lo general suponemos saberlo. Creo que todos los padres que nos equivocamos en la educación de nuestros hijos hemos actuado de buena fe. Solemos repetir las normas de conducta en las cuales fuimos criados. En ocasiones deseamos fervientemente hacer las cosas en forma diferente a lo que fue nuestra experiencia infantil. Al cabo de los años comprobamos que hemos repetido nuestra propia historia sin proponérnoslo conscientemente.

Son muchas las necesidades afectivas, intelectuales y espirituales de un niño. Me voy a limitar a reflexionar sobre nueve necesidades que considero fundamentales para un desarrollo infantil armonioso y sano. Los recortes de casos que les voy a presentar, están tomadas de mi experiencia pastoral y profesional. Estos no están solo para ilustrar mi enseñanza; están también, como una advertencia para cada padre y para cada madre. Aspiro a ayudarles para que no cometan los mismos errores que cometieron otros padres cuyos hijos solicitaron mi ayuda. Cada uno de estos temas podría ser desarrollado hasta convertirlos en capítulos de un libro. Por su importancia, y por ser una necesidad cuya insatis-facción genera grandes trastornos físicos, psíquicos y espirituales, me voy a extender solo en el tratamiento de la necesidad de una adecuada educación sexual. Por supuesto, este es un desafío a buscar más información, a capacitarse para ser mejores madres y padres.

La necesidad de amor

El ser humano necesita tanto del amor como del oxígeno para poder conservar la vida. Algunos bebitos al ser abandonados por sus progenitores suelen caer en estado de marasmo, es decir, pierden peso y se mueren «de hambre» aun cuando no les falta el alimento. Se mueren porque les ha faltado amor. De ahí la práctica común de que al bebé abadonado lo alimente siempre la misma persona, la cual junto con el alimento debe darle afecto.

El modelo de amor ideal es el que nos ofrece Jesucristo, quien muestra su amor auténtico hasta la muerte por el bien de los que ama. Amor que hace posible la salvación.

Veamos el primer recorte:

Mi mamá es muy tímida y mi papá es dominante; tiene un complejo machista... No recuerdo que ninguno de los dos me haya dado un beso, los dos son frios y poco expresivos. Ahora, de grande, son un poco más expresi-vos, pero cuando niño me negaron su calor. La única expresión de cariño que recuerdo es la de mi maestra del segundo grado; la he querido mucho y la sigo queriendo. Por eso cuando alguien me dice que me aprecia me cuesta pensar que no se está burlando de mí. Aunque aprecio a algunos amigos estoy como bloqueado y no puedo expresar mis sentimientos. Mis padres no me dieron cariño y no me enseñaron a amar. Ahora quieren arreglarlo todo ofreciéndome dinero, pero lo que me faltó en la niñez me seguirá faltando.

La necesidad de ser respetado como persona

La insatisfacción de las necesidades fundamentales del niño puede producir la incapacidad para satisfacer otras necesidades de la vida adulta. Escuchemos un testimonio:

> No hubo respeto de mí como persona. Parecía que mamá se complacía en dominarme, hacerme sentir como una porquería para pedirle perdón. Papá a veces me decía: «Debes besar el lugar por donde ha caminado tu madre». Quizás mis padres eran así por sus patrones culturales. He conocido otra familia siciliana que es por el estilo.

En el caso que acabo de citar la persona en cuestión entendía que las fuertes presiones recibidas de sus padres durante su niñez y adolescencia tenían como objetivo que rindiera el máximo en sus estudios. Entendía que sus padres no estaban realmente interesados en lo que a él le pasaba; sencillamente querían «lucirse» ante sus parientes y amigos con los logros de su hijo. A continuación sus palabras:

> Cuando hacía algo bien, guardaban silencio. Nunca reconocieron un solo éxito mío. Pero cuando algo me salía mal, aquello era terrible. Tenía que obtener el máximo: diez puntos en todos los exámenes. Si no lo lograba yo no servía para nada. Me lo dijeron tantas veces que he llegado a creer que no sirvo para nada. Me parece que siempre me falta algo. Solo para darle una idea del poco reconocimiento por parte de mis padres

le diré que el promedio general de mis cinco años de estudios secundarios fue de 9,43. Hice todo lo posible, pero no pude llegar a cubrir las aspiraciones de mis padres.

La necesidad de protección y seguridad

Las necesidades fundamentales del niño interactúan entre sí. Es indiscutible que un niño amado y respetado por sus padres se sentirá seguro y protegido. No obstante, es necesario distinguir claramente la protección de la sobreprotección. Esta última paraliza las iniciativas y el normal desarrollo de la personalidad.

El testimonio que voy a presentar a continuación resulta insólito. Un joven logra encontrar protección y aun afecto en un oficial del ejército durante su servicio militar. Había sido muy maltratado por sus dificultades para marchar bien durante los ejercicios militares. Un día un oficial observó cómo un cabo lo insultaba. Entonces lo invitó a pasar el fin de semana en una quinta junto con su hijo quien cumplía el servicio militar en el mismo regimiento. «Yo le voy a enseñar a marchar», le dijo el oficial.

> Me sentía acompañado y protegido porque el oficial no me gritaba; me trataba como no pudo hacerlo papá. Siempre los tipos fuertes y duros me han asustado y me aflojo ante ellos. A veces me parece que ser un hombre es ser como ellos, pero soy cristiano y tengo otras normas de vida. Es que estoy muy confundido.

La necesidad de educación cristiana

El encuentro personal con Jesucristo es una necesidad grabada en la esencia misma del ser humano por cuanto el hombre es religioso por naturaleza. La opción humana no está entre Dios y el ateísmo sino entre la aceptación del Dios verdadero, revelado por Jesucristo, y la idolatría. El hombre puede resistirse a ser plenamente humano, pero no encontrará descanso hasta que su alma descanse en Dios.

Aunque reconocemos que todos los niños necesitan educación cristiana, debemos admitir que algunos métodos no son buenos. Por el contrario, algunos procedimientos que pretenden ser educativos predisponen al niño para rechazar a la iglesia en su vida adulta.

Según las enseñanzas que papá me ofrecía, no debíamos defendernos si otros chicos nos pegaban. Recuerdo que en sexto grado tenía un amigo, que no era cristiano, que me defendía. Cuando alguien me pegaba y yo no me defendía venía él y le pegaba al chico. Era muy fuerte y todos le temían. Yo no quisiera criar a mis hijos como mi padre me crió. No quiero que ellos sufran lo que yo sufrí; pero como creyente quiero darles una buena educación cristiana.

Algunos padres no procuran educación cristiana para sus hijos con el pretexto de que estos deben escoger su religión cuando sean grandes. Si el argumento fuere válido estos padres tendrían también que abstenerse de enseñarles a comer, esperando que aprendran cuando sean grandes. El resultado de tal proceder sería la muerte. Los niños necesitan tanto del alimento espiritual como del material.

La necesidad de socialización

Las relaciones interpersonales significativas dentro de un contexto de amor y respeto mutuo, en el seno familiar, son necesarias para el logro de personalidades bien equilibradas. El hombre es un ser social y necesariamente debe interactuar con los demás para expresar plenamente su humanidad. El proceso de socialización en que el individuo sale de sí mismo para encontrarse con el otro, debe iniciarse y consolidarse durante la niñez.

El Jardín de Infantes tiene ese propósito socializador. El niño sale de su hogar donde a veces actúa como si fuera «su majestad el bebé», para ser uno más en el jardín. Allí aprende que tiene que respetar a los demás, ser sociable y en varias ocasiones, tendrá que defenderse de los demás. Allí aprende que la maestra no es toda para él y que debe compartirla con los otros chicos.

Voy a contarles el testimonio de un profesional que de niño sufrió un grave déficit de socialización. En las únicas fotografías que conserva de su niñez, los chicos del barrio aparecen siempre del otro lado de los barrotes de la cerca que daba acceso a la casa. Los padres no le permitían llevar amigos a la casa; al parecer temían que se contagiara de algo. Lamentablemente se contagió de *soledad* y aun cuando llegó a ser una persona mayor no podía salir de ella.

Con mis colegas en el hospital a veces me siento un poco como si fuera un nene. Esa sensación me viene por instantes, como una ráfaga; entonces me siento como un chiquitín entre mis colegas.

La necesidad de comunicación

Él es como si no existiera. Desde que tengo uso de razón actúa así. Nosotros tenemos que arreglárnosla solos. Es una personalidad muy débil. Yo no lo tengo en cuenta; si voy a salir le digo a mamá dónde voy, pero a él no le digo nada. No se puede confiar en él para que cumpla una responsabilidad. Con todo le tengo un poco más de afecto que a mi madre, pero no mucho. Realmente, no quiero a nadie, ni a mi mismo.

La comunicación entre padres e hijos debe ser recíproca, pero es la responsabilidad de los padres propiciarla e inicarla. Se habla de lengua materna; es la lengua de la madre la que aprende el hijo. Así como se aprende en casa un idioma, también en casa se debe aprender a dialogar.

Los hijos desde su perspectiva particular ofrecen una visión diferente de las cosas, lo cual hace posible que los padres también puedan aprender de ellos.

La mayoría de los jóvenes que atraviesan por situaciones límites acuden a otros antes que a sus propios padres. Por supuesto, hay excepciones, gracias a Dios.

Entre padres e hijos debe existir una comunicación constante. Ambos miembros de la pareja, por igual, tienen responsabilidad en la comunicación con sus hijos. No es solo cuestión de la madre o el padre. Es tarea de los dos.

La necesidad de buenas relaciones entre sus padres

Nunca sentí que se amaban; ni siquiera los vi jamás agarrarse las manos. Suponía que no me querían pero por lo menos me gustaría saber que ellos se amaban el uno al otro. Desde mi adolescencia siempre deseé encontrar una mujer que fuera capaz de amarme; que no fuera indiferente como mamá.

No voy a hacer comentario alguno sobre los estados angustiosos de este hijo. Sería bueno que lo haga cada matrimonio pensando que sus hijos pueden estar pasando por una situación similar.

Los padres que no son capaces de resolver entre ellos sus problemas y se pelean delante de sus hijos, no tienen la más ligera idea de cuánto hacen sufrir a sus hijos. Algunos los encuentran llorando y no saben por qué. Otros se enojan porque el nene vuelve a orinarse en la cama sin imaginarse que ellos son los causantes de la anomalía.

La necesidad de equilibrio entre la libertad y sus límites

Los límites colocados por los padres, a pesar de las protestas, suelen ser vividos por los niños y los adolescentes como una forma de interés por la preservación de su integridad. La mayor dificultad consiste en encontrar el justo punto de equilibrio entre la libertad y sus límites.

Los hijos necesitan libertad limitada sin que las limitaciones anulen la libertad. El exceso de libertad es una demostración de desinterés de los padres por los hijos. Negar totalmente la libertad es dificultar el desarrollo normal de la personalidad.

Cuando los padres son capaces de encontrar el justo equilibrio entre la libertad y sus límites, generalmente los chicos reaccionan adaptativamente a esos límites, y también los adolescentes aunque estos ofrecen cierta resistencia, en parte válida y en parte no válida.

La necesidad de una adecuada educación sexual

El niño sabe sobre la sexualidad más de lo que los adultos solemos suponer. Pero, hay en el otro saber; él sabe que existen cosas que él no sabe, es por eso que pregunta. El niño pregunta solo cuando los adultos le merecen confianza. El Señor nos ha hecho sexuados, desde que nacemos. El primer acto sexual, por supuesto, no genital, es chupar la teta de la madre. La primera masturbación, el chupete, o lo que lo sustituye.

A partir del tercer año los chicos comienzan a plantearse la diferencia anatómica entre los sexos, a veces antes. Cuando un chico contempla una niña desnuda le parece extraño que carezca del órgano con el cual él orina. Una pregunta común es: «¿Por qué las nenas no orinan paradas?» Y las nenas: «¿Por qué no puedo orinar como lo hace Pablito?» Si a esas preguntas no se les da una respuesta sencilla y convincente, el varón se preocupará y supondrá que la niña ha tenido un accidente, o que la han castrado como castigo. Esta idea le hará temer que le ocurra lo mismo. Es necesario sacar al niño de estos miedos, a veces secretos, explicándole con palabras que pueda comprender la diferencia anatómica entre los sexos. Es la inseguridad, los miedos y vergüenzas de los padres lo que hace daño a las criaturas. Ellos no tienen problemas, los tienen sus padres.

Las preguntas más comunes entre los chicos suelen ser: «¿Por qué unos son varones y otras mujeres?» «¿Cómo hacen los padres cuando quieren tener un hijo?» «¿Cómo hizo el bebito para entrar en la panza de su mamá?» Muchas veces los niños hacen estas preguntas a personas que no son sus padres y no obtienen respuestas adecuadas. A veces los niños no preguntan por timidez, pues no saben cómo van a reaccionar sus padres con relación a su deseo de saber. A mayor apertura de los padres, más preguntas aparecerán. Los padres severos y rígidos no recibirán preguntas. Los chicos se dan cuenta de los padres que tienen. Ellos necesitan amor, límites y franqueza.

Los niños aceptan la verdad en forma espontánea y natural. Suelen ser los padres los que tienen problemas para hablar sobre la sexualidad. Ellos siempre están dispuestos a escuchar y listos para preguntar más. Los niños suelen ser más atentos de lo que los padres suponen. Los adultos hablan y creen que los chicos no entienden. Alguien dice: «Faltan quince días para que Juanita tenga su bebé». El atento chico, o chica, se pregunta: «¿Cómo saben que va a venir en esa fecha?» Cuando los niños ven a una mujer con su vientre abultado saben que va a tener un bebé. Algunas madres hablan de tener un bebé. Otras, de «comprar» o «encargar». ¿Vienen los chicos por encargo? El niño puede pensar: «Sé dónde mamá compra el pan, la carne, etc. Pero... ¿dónde se comprarán los bebés?» Todavía existen madres que afirman que los niños vienen de París. «¿Por qué traerlos de tan lejos? Acaso, ¿no se puede producir en el país?» Los niños de hoy ven la televisión y se informan con otros chicos. ¿Por qué mentirles? Ellos saben cuando sus padres les mienten. Preguntan para saber si pueden o no confiar en sus padres. Afortunadamente, la ridícula historia de la «cigüeña», o la del «repollo» la utilizan muy pocos padres hoy. Los padres deben hacerse respetar por sus hijos, los que son mentirosos ya han perdido ese respeto. Los hijos saben cuando sus padres mienten, pero fingen ignorarlo. Lo más lógico es que los hijos piensen así: «Si me mienten es porque no me aman». Ante las preguntas infantiles es recomendable que el padre, o la madre, dibuje un niño y una niña desnudos mostrando la diferencias anatómicas. En la niña debe colocar una rayita y decirle, por aquí la nena hace *pis* (orina). En el varón debe dibujar un pene y decirle, por aquí orinan los varones. Se puede expllicar que los varones tienen dos orificios, uno para hacer caca y otro para orinar. Mientras que el Señor, a la mujer, le concedió tres. El tercero es aquel por el que salen los bebitos del vientre de su madre.

Un problema que suelen plantearse los niños es cómo el hombre puede llamarse padre ¿En que consiste la paternidad? ¿Qué papel le toca al hombre en todo esto? Es muy conocida la teoría de la semillita que papá le pone a mamá en la pancita, así como se pone una semillita en la tierra, y esta nace y crece. La pregunta que suele ruborizar a algunos padres es esta: ¿Por dónde le pone la semillita en la panza? Otra vez estamos en presencia de un problema de los padres, no de los hijos. Estos aceptan las cosas naturales con toda sencillez e ingenuidad, sin considerar malo lo que hacen mamá y papá. Es aquí donde los padres suelen mentir con mayor frecuencia. Los hijos merecen saber la verdad, y no ser engañados con vulgares mentiras. Deben saber que los hijos nacen del amor de sus padres, y no como producto de la violencia, el abuso, y el mal trato recibido por la parte más débil. Fantasía que suelen tener muchos chicos.

Otra pregunta que los niños pueden hacer es esta: ¿Cómo hace un bebé en el vientre de su madre para crecer sin comer? Los padres deben responder con la verdad a esta infantil cuestión filosófica. El ombligo es la señal que ha quedado de cómo la madre alimenta al niño en su vientre. Los chicos comen por el ombligo, pero después que nacen lo hacen por la boca. Un nene le preguntó a su madre:

—¿Cómo pude salir yo por un hueco tan chiquitito?

—De la misma manera que tu globo tan chiquitito se pone grande porque es elástico —le respondió la madre—. Como cristianos sabemos que todo esto es un invento de Dios. Se trata de un agujerito que creó el Señor, para que salgan los bebés. Es elástico como el globo.

—¿Te dolió mamá? —preguntó una nena.

Debe evitarse la mentira, pero sin crear angustia, sobre todo en las niñas. La madre respondió:

—Me dolió un poquito, pero es un dolor soportable.

Sugiero que los padres procuren más información, para no hacerle mal a sus hijos. Los dos casos que voy a presentar muestran cuánto daño puede hacer la ignorancia. Y esta se puede corregir.

La educación sexual deficiente produce trastornos espirituales y psíquicos

Veamos a continuación cómo se refleja esto.

Una neurosis histérica

Lina era una joven casada, de veintiocho años de edad. Tenía dos hijas de tres y dos años respectivamente. Viene a la primera entrevista acompañada por su esposo quien plantea el motivo de consulta. «Mi esposa es frígida; yo la amo mucho y como me doy cuenta de que ella no es feliz, he perdido el deseo sexual. Tememos por el futuro de nuestro matrimonio».

Lina y Raúl se conocieron en una iglesia evangélica donde se convirtieron. Lina procede de una familia espiritista. Este caso lo caratulo como *neumosicosomático* porque el conflicto se inicia en el campo del espíritu (*pneuma*), afectando el psiquismo (*psique*) y al cuerpo (*soma*) al impedir la descaga bioeléctrica que es el orgasmo.

Por causa del contexto religioso enfermizo, a Lina la sometieron a una brutal represión sexual.

«De chica nunca me enseñaron nada sobre la sexualidad. A veces tenía deseos de preguntarle a mamá pero no me atreví nunca. No sé a cuál de las dos le daba más vergüenza hablar del asunto».

Si bien no hubo educación verbal, sí la hubo paraverbal. Además de cierto lenguaje críptico.

«Una vez mi hermano y yo estábamos conversando con un vecino; yo tenía siete años y mamá me dijo que no me acercara más a ese hombre porque era un asqueroso; pero nunca me explicó por qué pensaba así de él. Supuse que era algo referente al sexo».

Lina tenía diez años cuando una amiga le enseño cómo masturbarse.

«Mi mamá me sorprendió haciéndolo y me dijo que si seguía haciendo eso me iba a enfermar de la cabeza. No me dejó juntar más con mi amiguita».

Desde entonces la madre la persiguió hasta que se casó.

«Cuando tuve novio y estaba con él en la puerta de casa, mamá mandaba a mi padre o a mi hermano a que me silbaran y me dijeran que tenía que entrar».

Lina no podía salir sola.

«No sabía ni tomar un ómnibus. Con veintiún años cumplidos no podía ir a ningún lugar sola. Una vez fui con mamá y papá a un baile de la iglesia espiritista. Un joven me sacó a bailar y mamá se enojó y me llevó a casa.

»Mamá siempre me enseñó que debía casarme con una persona más grande que yo, que trabajara. Conocí a un muchacho que me gustaba muchísimo. Me invitó a salir y le dije que no porque me atraía sexualmente y me parecía que eso estaba mal. Cada vez que lo veía corría de miedo; tenía diecinueve años. Me puse de novia con el que ahora es mi esposo porque no me atraía sexualmente. Era exactamente la persona ideal según lo que mi madre me había enseñado».

La persecución materna llegó hasta el casamiento e incluso hasta la luna de miel. Para que la «nena» no se fuera lejos arreglaron las cosas para que la nueva pareja viviera en el departamento de al lado. La noche de bodas hicieron una fiesta que duró hasta la madrugada. Faltaban solo dos horas para que el avión saliera para Bariloche, lugar donde iban a pasar la luna de miel. No tenía sentido que fueran a un hotel y decidieron descansar en su departamento.

«Tuvimos que arreglar las valijas y descansamos una hora. Sexualmente no hicimos nada. Cuando salimos del departamento mamá estaba esperando para despedirnos. Me dijo: "¡Qué ojeras tienes! ¿Qué estuviste haciendo?" Eso me quedó muy grabado. Lo viví como un reproche por haber hecho algo que no debía. Realmente no había hecho nada y en la luna de miel tampoco hice nada».

Tener un hijo fue un trauma para Lina. Al preguntarle por qué temía ser madre respondió: «Porque me parecía que era chiquita y cuando se notara la panza cómo iba a engañar a mis padres».

En el aspecto religioso trataron de inculcarle las ideas espiritistas. Recuerda haber escuchado a su madre decir que la Biblia era mala. Este caso es *neumosicosomático* porque el conflicto se inicia en el área espiritual y afecta a las otras dos. Esto se pone de manifesto en algunos de sus sueños. Víctor Frankl sostiene que además del inconsciente impulsivo, explorado por Freud, existe un inconsciente espiritual que puede expresarse a través de los sueños y de otras maneras. En este caso el análisis de los sueños ocupó un lugar muy importante. Veamos el sueño del *gato-diablo*.

«Soñé que estaba en una cocina en cuya puerta había una mujer que estaba espiando. Yo observaba a un gato negro que era atrapado por el diablo para introducirse en él. El gato negro, poseído por el diablo, se me acercó pero lo encaré sin temor. Lo agarré firmemente por el cuello y le dije: "Mi espíritu bueno puede dominarte, Satanás"».

Para interpretar un sueño es muy importante tener en cuenta que el que sueña ha creado la trama de la película; él es quien desempeña siempre el papel principal, y no importa lo que digan o hagan los demás personajes. Lo importante es lo que el autor del libreto les hace decir o hacer. Es necesario tener en cuenta que el inconsciente suele utilizar un lenguaje simbólico. De ahí la importancia de pedir a la persona que ha soñado, que haga asociaciones. Veamos los resultados de mi interrogatorio:

—¿Con quién asocia a la mujer que espía en la cocina?

—Debe ser mamá porque ella me ha espiado toda la vida.

—¿Con quién asocia el gato?

—No se me ocurre nada. Bueno, hay una gata hambrienta que mi nena encontró en la calle. La traje a casa y mamá se enojó mucho porque estaba embarazada.

—¿Qué tiene que ver esa gata embarazada con el diablo? —el rostro de Lina se turbó y lágrimas comenzaron a rodar por sus mejillas—. ¿Ha recordado algo desagradable?

—Sí muy desagradable. Yo tenía once o doce años cuando encontré en la calle una gatita y la traje a casa. Mi mamá me exigió que la llevara a un veterinario para que la castrara, pero me negué. El vecino tenía un gato negro que jugaba con mi gatita. Mamá se enojó mucho cuando se dio cuenta de que estaba embarazada. Me dijo: «¡Hay que matar a esa gata atorranta que ha andado con gatos!» Logré salvarle la vida con el compromiso de que mataría a los gatitos cuando nacieran. Fue algo terrible. Mamá encerró a la gata en un galpón, y puso un balde con agua en el centro del patio, y me ordenó que los pusiera adentro. Eran cinco. ¡pobrecitos! ¡Cómo gritaban y pataleaban para salvar sus vidas! Ellos gritaban y yo lloraba. Mamá estaba mirando. ¡Yo los maté! Después la madre buscaba a sus hijitos, los llamaba. ¡Me partía el alma verla! Los puse en una bolsa de residuos y los tiré en el incinerador para que la madre no los viera muertos.

—¿Asocia usted al diablo con el gato negro del vecino?

—Podría ser.

—¿Cómo eran los gatitos?

—Tres eran negros como el padre, y dos blancos con manchas negras, como la madre.

Le dije que si el gato negro del vecino, era el diablo que cometió «el gran pecado» de dejar embarazada a su gatita, entonces su «espíritu-bueno» debería agarrar a su marido por el cuello para que no la embarace, ¿verdad?

—Me causa risa su interpretación. Nunca se me ocurrió comparar a Raúl con un gato —me dijo.

En la elaboración del sueño, Lina pudo comprender que debido a una educación sexual neurótica, ella había interpretado que «su espíritu bueno» debía luchar contra su propia sexualidad. Su espíritu se había enfermado al concebir como diabólicas las relaciones sexuales, que son un invento de Dios y no del diablo. Entonces le dije:

—Si su espíritu para ser bueno debe vencer la sexualidad, no sería un espíritu bueno, sino un espíritu enfermo —y añadí—: Cuando usted ahogó a los cinco gatitos, ahogó con ellos a su sexualidad. Los gatitos no pueden resucitar; su sexualidad sí puede. Usted se siente encerrada como su gata en el galpón, pero Dios la llama a ser libre para disfrutar del placer sexual que Él desea para usted.

Lina tenía sueños reiterados en los cuales aparecía espiada por su mamá. Tuvo otros cinco sueños que son una clara manifestación de su inconsciente espiritual. Me referiré solo a uno:

«Soñé con mi tío muerto. Él estaba sentado a la puerta. Yo quería llegar a él, pero no podía porque estaba sobre una inmensa roca. Quería subir hasta donde estaba pero no podía. De pronto, aparecieron cientos de ángeles que cruzaban el cielo vestidos con túnicas celestes. Los muertos que estaban sobre la roca se alegraban mirando a los ángeles. Era una gran fiesta espiritual. Yo me lamentaba de estar abajo y no poder subir a la roca. Los ángeles pasaban y me saludaban. De pronto uno de ellos bajó y me dio la mano y me encontró desnuda. Un hombre se acercaba para atacarme en reiteradas ocasiones. Cada vez que se me acercaba aparecía mamá y lo mantenía a distancia amenazándolo con un arma».

El tío, ya fallecido, fue para ella como un padre. Le dio mucho afecto. Su muerte fue un duro golpe para Lina. Representó la mejor imagen masculina que conoció, y ahora estaba muerto. Para Lina la vida espiritual, como para los dualistas griegos, excluía lo sexual; el tío había sido soltero toda la vida. Ella quería alcanzar el lugar donde él se encontraba, y no podía. El ideal de vida para ella era la contemplación de los ángeles en celestial visión. Pero de pronto el sueño le presenta una dura realidad. Estaba casada y había un hombre que la perseguía, su marido. Ella se encontraba desnuda, y la que impedía que tuviera relaciones sexuales con él era su propia madre. Esta le había sugerido muchas veces que debía separarse de Raúl, porque si este no tenía relaciones sexuales con ella, debería tenerlas con otra mujer. La madre de Lina le daba a su hija un doble mensaje; por un lado, no debía tener relaciones sexuales con su marido; por el otro, si no las tenía, este se iría con otra mujer. ¡Pobre Lina! ¡Pobre madre de Lina! ¡Qué mal estaban las dos!

El tema de la supuesta infidelidad del esposo aparece en un sueño:

«Estaba en casa con mamá, papá y mis nenas. Mamá decía que Raúl tenía una amante. Me sugería que cambiara la cerradura de la puerta antes de que él viniera, pero yo no le contesté porque estaba muy confundida. Luego crucé la calle y fuí a un negocio que está frente a casa y la vendedora me decía: "¡Pobre

Lina!" Me acerqué y le pregunté por qué me llamaba así. Me respondió: "¡Porque tu marido tiene una amante!" Entonces corrí a casa y dije: "Pronto, vamos a cambiar la cerradura". Cuando llegó, Raúl me rogaba que lo dejara entrar. Le dije que me quería separar. Luego me encontré en un ómnibus con mis padres».

Lina amaba a su esposo, pero su inconsciente espiritual enfermo la llevaba a desear escapar de él. Deseaba estar encerrada en casa, castigada, como su gata en el galpón. El fruto de su «pecado sexual», como los gatitos, había que eliminarlo. Entonces escapa en un ómnibus con sus padres, sin las nenas. Como si las hubiera matado, de la misma forma que lo hizo con los gatitos, para destruir el «fruto del pecado». Lo que realmente necesitaba destruir era la neurosis creada por su madre.

Paulatinamente se fue operando un cambio en las relaciones de Lina. Primero con su marido y después con sus padres. Estos protestaron un poco, porque «le habían cambiado la mente de su hijita». (El diminutivo muestra que para ellos, especialmente para la madre, Lina no había crecido, seguía siendo su «hijita».) La pareja se mudó a varios kilómetros de distancia. Se produjo un auténtico crecimiento espiritual en la pareja y la normalidad alegró la vida de Lina y Raúl.

No es fácil establecer un clara línea de demarcación entre lo espiritual y lo psicológico. En el caso de Lina, el conflicto surgió en el área espiritual, y sus sueños así lo ponían de manifiesto. En el caso de Jorge, que veremos a continuación, la situación problemática parecería surgir del área espiritual, pero solo en apariencia. Su problema estaba en el área mental. Por eso lo caratularé como un caso *psiconeumosomático*.

Una neurosis obsesiva-compulsiva grave

Jorge tiene veintidós años, su hermano dieciocho y sus padres entre cincuenta y cincuenta y cinco años. Toda la familia es evangélica militante. Jorge ha terminado sus estudios secundarios y no se ha animado a iniciar los universitarios debido a sus dificultades.

Sintomatología

Presentaba un cuadro obsesivo en cuanto a las ideas, y compulsivo en lo referente a sus actividades. Era detallista al máximo. Antes de comenzar el tratamiento dedicaba por lo menos media hora cada vez que se lavaba las manos, lo cual hacía con bastante frecuencia. Su obsesión fundamental era el temor a perder algo de sí mismo. Para asistir a un entrevista a las diez de la mañana necesitaba levantarse a las cuatro para arreglarse. En una ocasión estuvo dos horas inmóvil pensando si no le faltaba algo; si se le había perdido algo, o pensando en lo que hizo, para comprobar si lo había hecho bien o mal. Afirmaba que tenía esa tendencia desde los once años a partir de sucesivas fracturas del fémur. Cuando venía a verme lo hacía con la manos cerradas o escondidas en los bolsillos por temor a perder algo. Al salir a la calle temía llevar algo de valor en el pantalón o el pullover, y que se le perdiera. Para evitarlo, sacudía la ropa. También solía revisar a su madre (una vez durante cinco horas) para que no se le perdiera nada. Con el padre y el hermano hacía lo mismo, pero con menor intensidad. A simple vista parecía tratarse de una psicosis, es decir, lo que comúnmente la gente llama locura, pero no era así. Hay algunas neurosis graves, que son más peligrosas que algunas psicosis leves. En este caso, la estructura era neurótica, pero tenía algunos rasgos psicóticos. El diagnóstico diferencial es muy difícil. Por eso hay que evitar las etiquetas. Hay casos de histéricas graves que, cuando el médico psiquiatra le pone la etiqueta de esquizofrenia, es muy difícil que alguien se la pueda sacar si está internada en un hospital para enfermos mentales.

Panorama religioso

Desde los seis años tuvo un miedo atroz a no ser salvo:

«Yo oía decir que los niños iban al cielo gratis. Me contaba la edad para ver si todavía podía entrar en caso de morir. Tenía miedo a la Segunda Venida de Cristo. Temía que cuando Él volviera a la tierra me encontrara sin nada que ofrecerle y entonces me rechazara y perdiera la salvación. Vivo cerca del aeropuerto de El Palomar y cada vez que pasaba un avión me despertaba asustado pensando que había llegado el Armagedón».

Cuando surgió la sintomatología antes señalada, fueron varias las voces de pastores evangélicos que se levantaron para diagnosticar el caso como una posesión demoníaca. Jorge fue exorcisado dos veces. La primera, por tres pastores a la vez sin que se produjera cambio alguno. Un segundo esfuerzo fue realizado por un pastor a quien se le atribuían grandes dones para la liberación de la posesión demoníaca, también sin resultados. Los dos fracasos llenaron a Jorge de angustia y desesperación. Finalmente cayó en la rebeldía.

«Me sentía muy mal, no comprendía por qué me pasaban tantas cosas raras. No podía entender por qué Dios no me curaba si en la iglesia estaban todos orando y ayunando por mí. Yo oraba con todas mis fuerzas para que Dios me curara y de tanto hacerlo me cansé de orar y me puse en rebeldía ya que no entendía por qué tenía que sufrir tanto».

Al preguntarle a Jorge cómo se sentía al cabo de doce semanas de tratamiento me contestó:

«Ahora no le pido al Señor que me conceda la salud; solo le ruego que me saque las tensiones cuando estoy en estado crítico. Pero ya casi no hago oraciones de petición. Ahora doy gracias a Dios por lo mucho que he avanzado en el proceso que me lleva a la salud. Le agradezco mucho por eso. Alabo y doy gracias al Señor por sus misericordias. Además, oro por usted para que el Señor lo use como su instrumento para lograr mi salud».

Estado actual

El tratamiento comenzó el 25 de junio de 1982. Trabajamos juntos durante casi tres años: El Señor, Jorge y yo. Como es evidente, no se trataba de un caso fácil. Su problemática fundamental estaba basada en una deficiente educación sexual. Se sentía sucio, por eso su compulsión a lavarse las manos, porque estaban sucias; sucias por la masturbación. Con la combinación de los recursos de la fe cristiana, y los de la ciencia, se logran resultados con mayor rapidez. Jorge se marchó al exterior en 1985. Me ha escrito varias veces y me asegura que hace una vida normal. Está casado, tiene hijos, es un fiel creyente, y hasta predica como laico de vez en cuando.

Conclusiones

Hagamos propicia cada oportunidad que se nos presente, para que nuestros niños se acerquen al Señor, porque de ellos es el reino de los cielos. ¿Cómo podemos propiciar su acercamiento a Jesucristo? A continuación voy a presentar algunas sugerencias concretas:

- Amándolos como ellos merecen.
- Respetándolos como seres humanos que son.
- Produciendo para ellos, en la iglesia y en sus hogares, un ambiente de protección y seguridad.
- Optimizando nuestro programa de educación cristiana. No solo la educación formal, sino también la informal, la que producimos con nuestra conducta cotidiana.
- Ayudándolos a vencer su timidez, charlando con ellos y compartiendo atención y tiempo. Con esta actitud les ayudaremos a socializarse y a mejorar su capacidad de comunicación.
- Fortaleciendo en cada congregación local una *Pastoral Familiar Compartida* para lograr mejores relaciones de los padres entre sí y de estos con sus propios hijos.
- Ofreciendo a los hijos la educación sexual que necesita, para lo cual es necesario que los padres estén adecuadamente educados al respecto. Es en la enseñanza sobre la sexualidad donde mayor daño hacen los padres a los hijos. Tener buenas intenciones no es suficiente.

Jesucristo utiliza el verbo impedir en forma negativa, «no impidáis», al referirse a las actitudes de los adultos con relación a los niños. Ciertamente los adultos somos frecuentemente un gran obstáculo para que los niños se acerquen al Señor. De ahí la necesidad de que hoy, el Dia del Niño, como padres y como iglesia, preparemos el ambiente más sano y adecuado para nuestros niños. Jesús sigue diciendonos hoy: «Dejad a los niños venir a mí, y no se lo impidáis; porque de los tales es el reino de los cielos» (San Mateo 19.14).

9

La pastoral del adolescente
y de sus padres

En el capítulo 7 me he referido a los mecanismos que determinan el tipo de estructura psíquica que ha de tener cada ser humano. Me ocupé de la represión, la preclusión y la renegación, como los mecanismos que determinan que un sujeto sea neurótico, psicótico, o perverso. También me he referido a la parábola del Sembrador; en ella el Señor nos muestra los tipos de personas que existen en este mundo, pero incluye una cuarta estructura, la del buen terreno que da fruto. Cuando alguien llega a la adolescencia, ya tiene una estructura psíquica, y esta determinará el tipo de tensiones que tendrá que padecer cada adolescentes y su familia. He dicho, en el capítulo 8, que es muy importante que los padres aprendan a cuidar y educar adecuadamente a sus hijos en el proceso de estructuración de su psiquismo, lo cual ocurre dentro de los seis primeros años de vida. Después de ese período, los niños entran en una expecie de moratoria sexual. Cuando se les observa en los recreos de la escuela, aparentemente los sexos se repelen. «Los nenes con los nenes y las nenas con las nenas», como dice una conocida canción. Cuando llega la revolución de la pubertad se vuelven a acercar. Entramos a considerar ahora ese fenómeno revolucionario al cual llamamos adolescencia.

Las características de los adolescentes

Cuando un niño entra en la adolescencia, se le producen una gran cantidad de cambios, tanto en el cuerpo como en lo psíquico

y lo espiritual. ¿Qué es lo que ocurre? ¿Acaso se le ha metido el
diablo en el cuerpo? No, todo lo contrario; Dios está trabajando en
su cuerpo, en su mente y predisponiendo su espíritu para un
encuentro. Es la adolescencia la edad propicia para la conversión.
De igual manera, es el momento propicio para hacer las grandes
decisiones que tienen que ver con la vocación, el amor y lo ético-
moral. ¿A qué me voy a dedicar? ¿Con quién me voy a casar? ¿Qué
está bien y qué está mal? Son las grandes preguntas a las que tiene
que responder todo adolescente. Muchas veces este se encuentra
completamente solo ante estas interrogantes y no se anima a dialogar
con sus padres. Es un momento de cambio establecido por Dios.

Cuando un niño nace, tiene todo lo que necesita para desarrollarse en la vida. Entre el equipaje con que el Señor lo ha dotado
están las glándulas de secreción interna llamadas endocrinas. Estas
permanecen como «dormidas» por varios años. Su «despertar» es
el comienzo de la pubertad-adolescencia. Cuando las glándulas
comienzan a producir hormonas, los chicos suelen ponerse irrita-
bles. Como el cuerpo comienza a cambiar, no saben bien si son niños
o qué; tampoco saben qué es lo que quieren. Es un momento de
mucha confusión que es inevitable y, en ese importante período de
la vida, los chicos necesitan mucho de la comprensión y de la
orientación de sus padres. No necesitan reproches, ni malos tratos,
que es lo que más comúnmente reciben.

Los chicos de ambos sexos experimentan los siguientes cambios: De pronto los cuatro miembros del cuerpo pegan un estirón,
los adolescerntes crecen tan rápidamente que casi no se conocen;
por eso se miran tanto al espejo. Como los órganos internos no
crecen con la misma rapidez que brazos y piernas, el corazón y los
pulmones tienen que trabajar mucho más para alimentar con sangre
a un cuerpo que ha crecido de pronto. Es por eso que se cansan con
mucha facilidad. Son incomprendidos y tildados de haraganes, y
otras cosas por el estilo. Muchos padres dicen a sus hijos: «Cuando
yo tenía tu edad...», pero cuando ellos eran adolescentes, también
se cansaban; lo que ocurre es que lo han olvidado. Por lo menos yo
me acuerdo de un carnicero que me insultó porque estaba recostado
en el mostrador mientras esperaba ser atendido. El argumento es el

mismo, ¡cómo un joven va a estar cansado! A veces ocurre que la edad de padres e hijos hacen cortocircuito. Cuando el padre va perdiendo sus energías, por su edad, inconscientemente envidia la juventud de sus hijos. Igual les suele pasar a algunas madres con sus hijas. Estas parecen pimpollos que se abren a la vida, mientras ellas se consideran viejas «rosas» que están perdiendo sus pétalos. La envidia no es consciente, pero es bastante común, y contribuye al enfrentamiento generacional. Además, se produce en ambos sexos el surgimiento de vellos en la zona genito-urinaria y en las axilas.

Hay cambios que son específicos para cada sexo. Es característico de los varones el cambio de la voz y el surgimiento en el cuello de la llamada «nuez de Adán». También aparecen las primeras poluciones nocturnas; mojan la cama. Muchas veces los adolescentes se asustan, pues no saben por qué les ha ocurrido ese fenómeno. Hoy hay mucha más información sexual que años atrás, pero los padres deben hablar con sus hijos acerca de estos cambios normales en sus cuerpos. En las jovencitas se produce el desarrollo de sus pechos, lo cual suele producir vergüenza en algunas y orgullo en otras. También aparece en este tiempo la menarca o primera menstruación, que hoy no suele ser tan traumática como en el caso de Dora II, que hemos visto precedentemente.

Los adolescentes ya no son niños, pero todavía no son adultos; por lo tanto están en busca de sí mismos. ¿Quién soy?, es la pregunta fundamental. A veces se produce un duelo por el cuerpo infantil perdido. Y, un duelo es algo que duele. Hay algunos chicos que no desearían crecer. La dificultad para aceptar el nuevo cuerpo conduce muchas veces a la bulimia, la anorexia, y a otros disturbios. Por ejemplo, algunos se sienten siempre aburridos, y se encierran a escuchar música. Algunos se vuelven un poco antisociales. La iglesia tiene una responsabilidad muy importante con ellos, y con sus padres. A veces, los padres se constituyen en la otra cara de la moneda. A ellos también les duele haber perdido al nene o la nena; les cuesta aceptar que estos se están convirtiendo en mujeres y en hombres. Continúan llamando a sus hijos con el diminutivo. Para ellos, siguen siendo Osvaldito y Raquelita, aun cuando han cumplido cuarenta años. También hay «adolescentes» de cuarenta años, porque se juntan ambos duelos y llegan a un compromiso. Como el tiempo no perdona, lo único que logran es hacerse daño, tanto los padres como los hijos.

La iglesia en su pastoral debe tener en cuenta todos los elementos a los que hemos hecho referencia. Hay que a ayudar a los hijos a liberarse de la actitud posesiva de sus padres. Ellos no son cosas que pertenecen a... son seres humanos que tienen el derecho a alcanzar su propia libertad.

La iglesia debe propiciar un diálogo abierto y fluido sobre la plenitud de la vida cristiana en alma, mente y cuerpo. En ese encuentro creativo, los adolescentes deben llenar el vacío en que se encuentran.

La pastoral de los adolescentes

Al acercarse a la pubertad, entre los diez y quince años, según la precocidad o lentitud de los niños en desarrollarse, es conveniente que los padres pregunten a sus hijos acerca de los cambios fisiológicos que se están produciendo en sus cuerpos. Una niña no bien informada puede suponer que la primera menstruación es un castigo de Dios, por tener pensamientos impuros. Es bien conocido el hecho de que el desarrollo se produce, generalmente, más temprano en la mujer que en el varón.

La verdadera educación sexual es aquella que se inscribe dentro de la educación general de los adolescentes. No debe ser una lección aparte. Por eso, los padres deberían ser los educadores de sus propios hijos en algo tan importante como la sexualidad. No se trata de instruir, sino de educar. Félix Varela, una famoso educador cubano (1787-1853), dijo: «Enseñar puede cualquiera, educar solo quien sea un evangelio vivo». Si la sexualidad es una creación divina, como afirmé precedentemente, la educación sexual sana tiene algo de lo inefable, de lo puro, de lo divino, expresado en el amor, porque «Dios es amor» (1 Juan 4.8). Veamos algunos factores importantes en la educación de los hijos:

No mentirles

Los padres suelen mentir ante las inquietudes que les causan las preguntas de sus hijos. Es que ellos, cuando chicos, no se animaron a preguntar, y ahora no saben cómo responder. Veamos un caso: Una chica de doce años me contó que un día le preguntó a la novia de su padre: «¿Te acuestas con mi padre?» Aunque sorprendida por la inusitada pregunta, la novia le habló con toda franqueza y con la verdad por delante, le dijo: «Tu padre y yo somos viudos, luego somos personas libres, desde el punto de vista moral. Nosotros nos amamos mucho y no pudimos aguantar más. Por eso, hace tres meses que comenzamos a tener relaciones sexuales. Lo ideal es que nos casemos, pero yo tengo cuatro hijos y tu padre tres. Pensamos que por ahora no es fácil integrar las dos familias. Sobre todo, por los problemas económicos. Pero, no siempre que dos personas se amen, deben tener relaciones sexuales; mi caso es diferente del tuyo. Soy una persona grande, con mucha experiencia de la vida. Tu eres chica todavía, y si bien estás madura para tener hijos, no lo estás para asumir las responsabilidades de una relación sexual».

Mi paciente le manifestó que ella ya lo sabía, y que le agradecía que no la hubiera engañado. Esta chica, más adelante aceptó a la novia de su padre como madre sustituta en una linda relación humana en el contexto de la fe cristiana. A continuación la respuesta de esta adolescente a la novia de su padre: «Tus consejos para mi vida valen por una razón muy importante, porque no eres una mentirosa. Si me hubieras mentido, tus palabras estarían llenas de hipocresía y no las escucharía. Tienes razón, no debo hacer con mi novio lo mismo que tú haces con el tuyo. Pero está bien, no te reprocho lo que haces con papá».

Esta adulta quedó sorprendida ante las palabras de una chica de solo doce años. No pudo evitar preguntarle cómo sabía que ella mantenía relaciones con su papá. Esta fue la respuesta: «Papá nunca tendía la cama y yo tenía que hacerlo cuando venía del colegio. Un dia encontré la cama tendida, muy bien tendida, y me dije: " Esto no lo hizo papá, aquí está la mano de una mujer". De vez en cuando encontraba la cama destendida y, sin decir nada, la arreglaba.

Coincidía que cuando la cama estaba tendida, el baño estaba muy bien arreglado. De vez en cuando destendía la cama tratando de encontrar pruebas. Un día encontré un pelo largo y negro, como los tuyos, y me dije: "Aquí estuvo ella acostada"».

A pesar de su edad tenía principios bien arraigados. Si bien aceptó a la futura madrastra le dio una lección moral, cuando le dijo: «Te voy a agradecer el favor de que le digas a mi padre que, mientras no estén casados, no se acuesten en mi casa. Ustedes piensan que lo que hacen está mal, porque lo hacen escondiéndose de nosotros, los hijos; se aprovechan cuando estamos en la escuela. Pero te agradezco que me hayas dicho la verdad». ¿Qué habría sucedido si esta mujer hubiera mentido? Es difícil saberlo, pero lo podemos suponer.

La situación socioeconómica

Leí que el cuarenta y ocho por ciento de los desocupados, en la Argentina, son jóvenes menores de veintinueve años. Coincidiendo con las pulsiones sexuales que se expresan con mucha fuerza en la adolescencia, aparece la impotencia para abrise paso en la vida laboralmente. Esta realidad suele crear incertidumbre y creciente desorientación en la gente joven que se siente abandonada e incomprendida. Algunos se preguntan: «¿Para qué estudiar si no voy a conseguir trabajo?» Otros añaden: «Y dondequiera que vaya a buscar trabajo me van a pedir que tenga experiencia laboral». Muchos adolescentes buscan una falsa salida a esta situación a través de las drogas, el delito y la promiscuidad sexual. Los padres suelen ser los últimos en enterarse de las vías de escape que sus hijos han encontrado para su situación angustiante. Muchos adolescentes se sienten carentes de esperanzas de tener un futuro mejor. Este es un problema a encarar tanto por los padres, como por la pastoral de la iglesia.

Los adolescentes y los jóvenes procuran independizarse de sus padres económicamente, pero la dependencia pesa más cada día. Los padres han logrado algo después de una vida de trabajo y esfuerzo. Ellos son impacientes, y no se conforman con seguir el destino de sus padres, sin siquiera tener posibilidades de alcanzar lo que ellos lograron. Un camino ancho se abre ante ellos: El de la delincuencia, el tráfico de drogas, o cosas por el estilo. Estas soluciones suelen aparecer como la única salida, que no es tal.

¿Qué podemos hacer los padres y la iglesia? Lo primero que podemos hacer es darnos cuenta de la realidad. Porque parecería que muchos tienen los ojos cerrados a la realidad. Lo segundo, es dialogar con ellos, no dejarlos solos con la carga. La pesada deuda externa latinoamericana incide sobre la salud mental, el comportamiento moral y la vida espiritual de nuestro pueblo. El panorama que se le presenta a nuestros adolescentes y jóvenes es bastante sombrío. Y recordemos que más de la mitad de la población de nuestro continente está integrada por adolescentes y jóvenes.

Este autor no tiene respuesta a la problemática planteada. Solo aspira a abrir los ojos de aquellos hermanos que los tienen cerrados. Además, quiere recordar a los padres que la vida moral de nuestros hijos está influida por lo que pasa en el mundo en que vivimos. Los padres de hoy debemos mantener bien abiertos los ojos, y la boca; es decir, debemos darnos cuenta de lo que está pasando y de lo que puede pasar todavía, y debemos charlar con nuestros hijos. Debemos dedicarles parte de nuestro tiempo, aunque este sea poco. No es cuestión de cantidad, sino de calidad de tiempo. Es la mejor manera de expresarles nuestro amor. La experiencia de los padres, y el impulso de los hijos, pueden contribuir al surgimiento de opciones creativas. La iglesia debe inspirar a padres e hijos para lograr tales opciones.

Una experiencia pastoral

Cuando fui designado pastor de otra iglesia metodista, a principios de 1988, recibí la visita de varios hermanos de la congregación a la que iba a servir. La mayoría de ellos vinieron con un idéntico pedido: «La mayor necesidad de nuestra congregación es establecer un diálogo constructivo entre los adolescentes y sus padres». Todos esperaban que yo pudiera cumplir con ese ministerio. Entre los visitantes estuvo la persona encargada de la dirección de la Escuela Dominical. Le pedí que comenzara a anunciar que el nuevo pastor iba a tener una clase especial titulada: «Cómo comprender a nuestros hijos adolescentes». Me contaron que algunos padres eran muy rígidos con relación a la hora en que sus hijos adolescentes debían regresar al hogar, provocando la rebeldía de estos. Me contaron un caso en que una joven llegó a su casa una hora más tarde que el permiso que le habían dado. Cuando tocó a la puerta, esta permanecía cerrada. Ante su insistencia se le comunicó que, por haber desobedecido no podía entrar a la casa. La chica caminó unas cuadras, y a la una de la madrugada tocó a la puerta de una familia de la iglesia. No solo fue bien acogida, sino que pasó la noche con ellos. Esto creó cierta tensión entre las dos familias, me informaron.

Cuando el primer domingo de marzo de 1988 tomé posesión del cargo de pastor de dicha congregación, me esperaba mi clase de la Escuela Dominical. Para mi sorpresa me encontré que la asistencia llegaba al número de cuarenta y dos hermanos. La mayoría de los participantes eran matrimonios. Pero había algunas madres solas, cuyos esposos entendían que no tenían nada que aprender del pastor, que ellos sabían cómo debían educar a sus hijos. También hubo casos de padres que asistieron solos, porque sus esposas no creían en la necesidad de aprender nada nuevo.

Programé un curso de tres meses. El material básico de estudio fue la revista *Psicología Pastoral* No. 11, dedicada a la adolescencia, editada en 1982 por Editorial Caribe de Miami. En la portada de dicha revista se lee: «Pautas para la comprensión del adolescente. La pastoral de los adolescentes. La sexualidad en los adolescentes. Los adolescentes en la iglesia». Es posible que todavía se puedan adquirir ejemplares de esta publicación en la Editorial Caribe. A continuación enumero los artículos que contiene:

1. Editorial: «Hacia una hebelogía pastoral». Como director de esta publicación tuve a mi cargo la redacción del editorial. Solo voy a explicar el sentido del término *hebelogía*. Procede de dos

palabras griegas: *hebe* y *lógos*. *Hebe* es la diosa griega de la juventud. Por eso, en algunos tratados científicos, se denomina hebelogía al conjunto de trabajos consagrados al estudio de la adolescencia.

2. «Pautas para la comprensión de los adolescentes», a cargo del Dr. Daniel E. Tinao, pastor bautista y médico psiquiatra.

3. «El pastor de los adolescentes», por el Lic. Alberto D. Gandini, psicólogo y pastor bautista.

4. «La pastoral de los adolescentes», por el Prof. Pablo A. Deiros, historiador y pastor bautista.

5. «Los adolescentes en la iglesia», por el Dr. Héctor Lombardo, médico y predicador laico de la iglesia metodista de la Boca.

6. «Los padres de los adolescentes», por la Lic. Eliza Franz, psicóloga, y ex profesora de Psicología Pastoral del Seminario Teológico Luterano de José León Suárez, Prov. de Buenos Aires.

7. «La orientación vocacional», por el Lic. Norberto D. Ianni, psicólogo metodista.

8. «La educación del adolescente», por el Lic. Eduardo M. Ramírez, educador y pastor de la Alianza Cristiana y Misionera.

9. «La libertad en la adolescencia», por el Dr. Carlos A. Raimundo, médico psiquiatra, psicoterapeuta, actualmente pastor bautista en Australia.

10. «Bibliografía parcial sobre la adolescencia en castellano», por el Dr. Daniel E. Tinao.

El curso duró un trimestre. Además del análisis de algunos de los artículos, dedicamos mucho tiempo a la reflexión grupal. Era común que un padre o una madre planteara los problemas que tenía con sus hijos; el resto del grupo opinaba y no siempre había coincidencias. Descubrí que los padres de adolescentes de mi nueva congregación no tenían unanimidad de criterio. Esta realidad ayudó mucho a limar la rigidez de algunos, y para advertir a otros, sobre algunos peligros que no veían. La asistencia fue bastante pareja durante el trimestre y además tuvimos un retiro espiritual, todo un sábado en una quinta, para seguir reflexionando sobre el tema que a todos interesaba.

Paralelamente tuve reuniones con los adolescentes que se reunían en su Liga, una vez por semana. Conversé mucho con ellos acerca de cómo comprender a sus padres.

Un tercer momento de este trabajo fue el encuentro entre padres e hijos. Estuve preparando a ambos grupos para dicho encuentro. Los padres y los hijos debían encontrarse para dialogar, pero cada matrimonio lo haría con chicos del mismo sexo y edad que sus hijos. Estos, a su vez, charlarían con otros padres, aproximadamente de la misma edad que los suyos. Como todo fue planificado con varias semanas de anticipación, cada chico o chica sabía quién iba a charlar con sus padres, y con qué padres les tocaría dialogar. Más de una vez escuché a adolescentes explicándoles a sus compañeros lo que ellos querían que se le dijera a sus padres. Por fin llegó el encuentro. Fue todo un sábado con actividades variadas. Se comenzó con momentos de alabanza y de edificación espiritual mediante la reflexión sobre la Palabra de Dios. Después se dividieron en grupos. Cada «familia» debía llegar a algún acuerdo a la luz del evangelio y de los nuevos tiempos en que vivimos. Cada familia eligiría un secretario que informaría a la reunión plenaria.

Creo que este programa puede ser utilizado en otros contextos, adaptado a la situación de cada lugar. Lo cierto es que no solo los adolescentes necesitan ayuda pastoral; también los padres. Esta realidad quedó en evidencia en esta experiencia pastoral. Padres e hijos fueron enriquecidos y bendecidos. Quiera el Señor que este modelo pueda ser repetido en otros lugares.

La pastoral de los padres

Originalmente había pensado escribir sobre la pastoral de los adolescentes ejercida por sus padres. Todos sabemos que hay algunos adolescentes que están más cerca del Señor que algunos padres. Por eso decidí cambiar los objetivos de este capítulo. En mi propio caso, cuando se produjo mi conversión a los dieciséis años, me sentí incomprendido por mi familia. Mi propio padre creyó que en la iglesia me iban a volver loco. Una noche fue a la iglesia a sacarme cuando estábamos en una reunión de oración que, en su opinión, se alargó demasiado. A las once de la noche irrumpió en la iglesia a buscar a su hijo, menor de edad. Después, me interrogó acerca de lo que estábamos haciendo. Cuando le dije que solo estábamos orando a Dios, que no hacíamos nada malo, se inquietó todavía más, me dijo: «Tú no has matado a nadie para tener que pedirle perdón a Dios, si continúas con todas esas cosas raras no te voy a permitir que continúes asistiendo a esa iglesia protestante». La situación se hizo todavía más tensa en la Nochebuena de 1946 porque me negué a sentarme en una mesa donde había vino. Seguía las orientaciones de la iglesia metodista en Cuba, la cual hasta hoy, no ha cambiado su opinión acerca del uso del alcohol. Esa Nochebuena la familia cenó separada; mi madre en la cocina conmigo y el resto de la familia en el comedor. Preocupado, mi padre fue a hablar con el pastor. No sé qué hablaron, pero, desde entonces, cesó la persecusión familiar.

En el caso de los padres creyentes, no todos están capacitados para ejercer la pastoral de sus hijos. Hoy los jóvenes tienen acceso a un caudal de información que muchas veces resulta inaccesible para los padres. Además, la mayoría de los padres no recuerdan lo que ellos hacían cuando eran adolescentes; y lo que es más importante, su mundo era completamente diferente al de los los adolescentes de hoy.

Muchos padres están muy preocupados por la cuestión de la autoridad. Algunos suponen que por el solo hecho de ser grandes tienen el derecho a imponer sus ideas a sus hijos. A veces los padres están equivocados, pero les cuesta aceptarlo. De ahí la importancia de una adecuada pastoral para los padres de los adolescentes. La autoridad no es lo mismo que el autoritarismo. La autoridad puede conducir a la salud; el autoritarismo conduce irremediablemente a la enfermedad, a menos que se produzca una rebeldía sana.

Al acercarnos al tercer milenio debemos tomar conciencia de que la autoridad de los padres y la libertad de los hijos para autoexpresarse y autorrealizarse, entran en tensión de diversas maneras. Los padres autoritarios crean situaciones donde sobran padres y falta libertad. Por el contrario los padres y madres permisivos, los que no saben o no pueden poner límites a sus hijos, actúan de tal manera que sobra libertad y faltan padres. En el caso de los padres y madres paternalistas, estos están dispuesto a hacer todo por sus hijos, a condición de que hagan todo lo que ellos creen que deben hacer en nombre del amor. En estos casos: sobra protección y falta libertad. No todo lo que recibe el nombre de amor lo es en realidad. No es fácil desempeñar bien el oficio de padres y madres hoy. Por lo tanto, es necesario dejar bien establecido que el amor que ahoga, que cercena totalmente la libertad, no es amor, y el que no pone límites, tampoco. Por otro lado, la autoridad de los padres y las madres carece de valor moral cuando está en contradicción con el amor auténtico. Además, toda autoridad reñida con la autoridad de Dios, quien es esencialmente amor, carece de autoridad moral y espiritual.

Me parece que el ideal cristiano es que madres y padres seamos participativos, que participemos del diálogo, y permitamos a nuestros hijos participar. Es decir, que se produzca un encuentro familiar donde no falten ni la libertad, ni los límites, en el contexto del amor. Donde los hijos al participar en el diálogo, sean escuchados con respeto y consideración.

La imagen de Dios en el hombre es el núcleo fundamental, innato, del superyo. Pero este es adquirido en gran manera. Por lo tanto, es falso que sea el angelito de las tiras cómicas. A veces el superyo puede ser muy cruel. Tan cruel que puede conducir al delito para aliviar, a través del castigo de la sociedad, terribles sentimientos de culpa inconscientes. Aunque debo hacer constar que los perversos suelen carecer de sentimientos de culpa. Los padres debemos tener acceso a los conocimientos fundamentales de la psicodinámica. Es decir, debemos saber cómo funciona el aparato psíquico, para no cargar con culpas a los hijos que ya tienen un superyo muy rígido, y no dejar de poner límites a aquellos cuyo superyo es muy débil.

La vida cristiana es cuestión de equilibrio. Por lo tanto, no se caracteriza por el desenfreno del libertinaje, ni tampoco por la represión indiscriminada de la libertad individual. El adulto cristiano debe perder el miedo a la libertad de amar, y trabajar para el bien común. Pero también debe imponerse los límites que le permitan disfrutar una vida sana y cristiana. Estas reflexiones me traen a la memoria el título de dos importantes libros de Erich Fromm: *El arte de amar* y *El miedo a la libertad*. Del primero solo quiero recordar que el respeto por la persona amada es una de las manifestaciones del amor auténtico. Recomiendo la lectura de estos dos libros.

Elementos bíblicos para la pastoral entre padres e hijos

Para encontrar algunas pautas para el diálogo pastoral entre padres e hijos adolescentes, voy a acudir al modelo bíblico. Sugiero dejar de lado el sexo de los personajes y la problemática encarada. Les propongo que pensemos en la técnica de la entrevista, más allá de los personajes.

Nuestro Señor y la mujer samaritana (San Juan 4) se nos ofrecen como modelos de un tipo de entrevista pastoral, que también lo es de evangelización personal. Cada uno de los lectores, sea padre-madre o hijo adolescente, debe colocarse en ambos lugares de la entrevista. Es decir: como pastor y evangelista, según el modelo de Jesús; y como pecador que necesita arrepentimiento. Como si esto fuera un sermón, voy a ofrecer una ilustración. El dentista jamás podrá, por sí mismo, liberarse de sus propias caries. En algún momento tendrá que sentarse en el sillón y abrir la boca para que otro lo libere de su dolor, lo cual no menoscaba su condicion de odontólogo. Lo que le ocurre al dentista es semejante a la realidad de todo/a padre-madre, y de todo adolescente que sea sincero para consigo mismo y para con Dios. Recuérdese que dije que lo que tomamos del pasaje es el modelo de entrevista pastoral que nos ofrece el Señor. Espero que nadie se confunda, e interprete que por el solo hecho de ser padre-madre, quiera pretender colocarse en el lugar de Jesucristo y, tener su autoridad. Lo cierto es que, ante Él, todos somos pecadores, seamos padres o hijos. Redimidos sí, pero pecadores.

Para poder identificarnos con Jesús, como padre-madre, pastor y evangelista, debemos tomar de Él la primera característica que encontramos en el texto; no escapar de la persona necesitada de amor y de ayuda espiritual. A su manera, mi padre cumplía su función paterna intentando protegerme de lo que él creía era una secta peligrosa que podría hacerme daño. Lamentablemente, a muchos padres, aun creyentes, no les importa mucho a dónde van y qué hacen sus hijos. Jesús no se escapó de las dificultades; las encaró. En tiempos de Jesús los judíos que viajaban de Judea a Galilea solían hacer un largo rodeo por Decápolis para evitar pasar por Samaria. El texto del Evangelio es muy claro, dice: «Y le era necesario pasar por Samaria» (San Juan 4.4). No dice era necesario, dice le era necesario. Lo era porque había una persona necesitada a la cual Él deseaba pastorear y evangelizar. ¡Cuánto más no deben distraerse los padres! A mi padre le fue necesario hacer algo con la conducta rara de su hijo; impuso su autoridad y fue a conversar con el pastor a ver de qué se trataba. Una vez informado dio su consentimiento. A todo padre le debe ser necesario conocer a sus hijos, dialogar con ellos. Y cuando no es posible entenderse, buscar el asesoramiento y la información de otra persona que se la pueda ofrecer.

Los adultos de hoy solemos tener muchos prejuicios. Hay algunos que todavía sostienen que: «Todo tiempo pasado fue mejor». El Señor nos dice que todo escriba en el reino de los cielos es semejante a un padre de familia que lleva en su bolso de viaje cosas nuevas y cosas viejas y (véase San Mateo 13.52) según esta enseñanza bíblica, el padre de hoy no debe pensar que solo las cosas viejas son buenas. También hay cosas nuevas que pueden acompañarnos en el recorrido de nuestra vida. La cuestión fundamental es tener el discernimiento sano para determinar cuáles son las cosas viejas que debemos abandonar; y cuáles las que debemos conservar. Igualmente, debemos tener mucha claridad sobre cuáles son las cosas nuevas, del mundo de hoy, que podemos incorporar a nuestro equipaje de viaje vital, y cuáles son aquellas que sería peligroso incorporar. En este texto del Evangelio según San Juan, Jesúcristo quiere liberarnos de nuestros prejuicios frente a las cosas nuevas.

El primer prejuicio que tenían los judíos de su época era considerar a los samaritanos como una raza inferior. El menosprecio por estas personas lleva a deformar el nombre de la ciudad a la cual el texto hace referencia, la cual posiblemente era Siquem. Al llamarla Sicar querían decir: Ciudad de los borrachos. Es como hacen algunos racistas en los Estados Unidos, que para menospreciar a las personas de raza negra, en lugar de usar la palabra negro, dicen niger. Si imitamos a Jesús como nuestro modelo de padre, pastor y evangelista personal, de ninguna manera debemos discriminar a persona alguna por motivo de raza, sexo, nacionalidad, situación económica, etc. ¿Es esto aplicable a la familia? Claro que sí. ¡Cuántos padres discriminan a sus hijos teniendo uno que es preferido! ¡Cuántos padres ignorantes rechazan a una criatura por no ser varón! Y digo ignorantes con todo el peso de la verdad, porque la ciencia ha probado que es el padre, y no la madre, quien determina el sexo de los hijos. Si un padre, o una madre, es prejuiciosa y tiene preferencias, sus hijos lo van a notar, y se van a producir tensiones entre ellos. ¡Cuántas veces he encontrado mujeres que se sintieron inferiores a su hermana rubia, porque ellas son morochas! Estos prejuicios vienen de muy lejos, de la esclavitud de los negros, cuando estos eran cazados como animales en África para ser traídos a América y vendidos como esclavos. Los ingleses fueron traficantes de esclavos; eran rubios y tenían los ojos azules, pero eran crueles y perversos. Los pecadores que convertían a hombres libres en esclavos, eran, y para algunos todavía siguen siendo, personas decentes y virtuosas; y los negros oprimidos eran, y para algunos todavía siguen siendo, inferiores. Además de ojos y cabellos, hoy hay personas que creen que si alguien tiene mucho dinero, es una persona decente, virtuosa, y bendecida por el Señor; y si no lo tiene, es un miserable pecador. ¿Tenemos todavía una mente esclavista?

¿No es pecado pensar que una hija rubia es más linda, o mejor, que la otra morocha? Hace años leí un antiguo documento griego que se refería a la cacería de salvajes blancos, de ojos azules, en la gran isla del norte, para ser vendidos como esclavos. En ese momento, los inferiores eran los ancestros de los ingleses. En lo pastoral recuerdo el caso de una paciente, hija de galeses que se trasladaron a Jujuy. El mayor ideal de esta mujer, muy blanca y con unos lindos ojos verdes, era casarse con un negro brasileño. Ella se crió entre niños jujeños y en el colegio sus compañeros le decían «la rata blanca», lo cual la hacía sentir muy humillada. Hoy, viviendo en Buenos Aires, todavía usa lámparas para quemarse la piel, se tiñe el cabello y usa lentes de contacto de color, para ocultar sus ojos verdes. Jesucristo nos desafía a liberarnos de los prejuicios.

Volviendo al pasaje bíblico. Según los prejuicios de la época, comer pan de samaritanos era igual que comer carne de cerdo, alimento prohibido por la ley mosaica. Justamente la libertad de Jesús le permite enviar a sus discípulos a la ciudad a comprar pan samaritano. Al mismo tiempo espera lograr la conversión de una mujer de Samaria que necesitaba amor para su vida maltrecha y perdón para sus pecados.

Nos dice el Evangelio que al regresar de la compra del pan, sus discípulos se extrañaron de que hablara con una mujer, pero ninguno se animó a preguntar por qué lo hacía (cf. Juan 4.27). Era lógico que se extrañaran, porque según los prejuicios rabínicos las mujeres samaritanas menstruaban permanentemente, y la ley mosaica establecía que cualquier hombre que bebiera donde había bebido una mujer que estuviera menstruando, quedaba impuro. Esto explica el asombro de la samaritana cuando Jesús, libre de prejuicios, le ruega: DAME DE BEBER. Su pregunta tiene un fondo religioso: «¿Cómo tú, siendo judío me pides a mí de beber, que soy mujer samaritana? (Juan 4.9). La explicación del asombro, en la traducción de Reina-Valera, de que los judíos y los samaritanos no se tratan entre sí, no alcanza para presentar la profundidad de la actitud pastoral de nuestro Señor. El verbo griego que se utiliza aquí, *sunjraomai*, quiere decir usar juntamente con. (En la Versión de Reina-Valera, revisión de 1995, hay una nota al pie que dice: «Otra posible traducción "No usan nada en común"».) Es decir, un judío no usaba una vasija donde había bebido un samaritano y mucho menos una mujer. Quien desee hoy ser un buen padre o madre, pastor o pastora, y evangelista de sus hijos según el modelo que nos enseñó nuestro Señor, tiene necesariamente que liberarse de los prejuicios de su cultura y ajustarse a los principios del evangelio. El amor de Dios debe prevalecer sobre las costumbres establecidas.

Veamos ahora la actitud de la persona pastoreada y evangelizada en el texto que nos ocupa. No tenemos, en este extenso texto, información alguna sobre el rostro de esta mujer elegida por Jesús para ser pastoreada y evangelizada, a los efectos de mostrarnos un modelo de entrevista pastoral, válida para contextos diferentes, incluida la relación hijos-padre-madre. Tampoco sabemos si padecía alguna enfermedad, pero, como sabemos hoy, la mayoría de las enfermedades tienen un origen psicosomático, es decir, son creadas por trastornos espirituales o mentales.

Hay dos datos en el texto que nos permiten suponer que esta pobre mujer estaba cargada de culpas, y reflejaba en su rostro la tristeza, la aflicción, la angustia, o quizás la depresión. Es por eso que el Señor tuvo misericordia de ella, y se sentó en el brocal del pozo de Sicar a esperar que llegara. El primer dato significativo es la hora en que viene a sacar el agua, al mediodía, bajo un sol abrasador. La costumbre era que las mujeres vinieran al atardecer y aprovecharan para charlar. Recuérdese que por esa época no existían los diarios, ni la radio, ni la televisión. El pozo era un lugar de reunión, información y actividad social. Esta mujer no quería encontrarse con las otras mujeres que venían a sacar agua. Su vida pecadora, seguramente, le conducía a apartarse de las demás. El segundo dato que nos aporta el texto bíblico es su discurso, es decir, lo que decía esta mujer. En la traducción castellana no vemos la diferencia, pero sí en el texto griego original. Siempre que el autor del Evangelio o nuestro Señor se refieren al pozo de Sicar utilizan la palabra griega *pegué* que significa «manantial». La samaritana, por el contrario, las dos veces que se refiere al pozo lo llama *frear*, que significa «cisterna». En lenguaje vulgar diríamos que esta mujer estaba «bajoneada», o que todo lo veía negro. Hablaba según su estado espiritual. Igual ocurre hoy, como dice nuestro Señor Jesucristo: «De la abundancia del corazón habla la boca» (San Mateo 12.34). La manera de hablar de esta mujer lleva a Jesús a referirse al agua viva del manantial por oposición a las aguas estancadas de la cisterna.

Si bien esta mujer estaba muy afligida por las consecuencias de su pecado, le ocurría, como a nosotros muchas veces; no se daba cuenta de que los trastornos que padecía eran causados por los pecados cometidos. También nosotros, aunque muchas veces no nos demos cuenta de que nos sentimos culpables, el problema se expresa a nivel inconsciente. Si sentimos cierta desazón, inquietud, o nerviosismo, sin saber por qué, no siempre la cuestión se soluciona tomando una pastillita. Es posible que solo necesitemos arrepentirnos de nuestros pecados, la mejor pastillita, porque creemos en el amor de Dios y en el perdón para nuestros pecados por la sangre derramada en la cruz del Calvario.

A pesar de la carga pesada que llevaba encima, la mujer samaritana se resiste al llamado de nuestro Señor. Se resiste al trabajo pastoral de quien hoy nos está enseñando a pastorear y envangelizar, como padre o madre, a través de la entrevista personal. Paradójicamente lo hace utilizando la teología. En lugar de recibir el mensaje, muestra su inquietud sobre el lugar donde Dios debe ser adorado adecuadamente, si en el monte Gerizim o en Jerusalén. Jesús pone el dedo en la llaga diciéndole: «Vé, llama a tu marido».

La manera de decir las cosas en muy importante, así como la entonación. Esto debe tenerlo en cuenta todo padre y madre. Con los hijos se puede hablar de todo, y podemos mantener opiniones diferentes de las de ellos, pero todo depende de que seamos capaces de hablar con amor. Jesús supo hacerlo tan bien, que la mujer quedó tan conmovida que hasta se olvidó del motivo que la trajo al pozo. El hecho de dejar el cántaro, para salir a dar testimonio de haber encontrado al Mesías, es la prueba evidente de la conversión de esta mujer.

Llama la atención el hecho de que cuando Jesús se refiere a sus pecados ella no se defiende, no trata de mentir. Cuando el Señor se refirió a una nueva espiritualidad, no basada en ritos y costumbres sino en Espíritu y en Verdad, esta mujer echó a andar. No solo hacia la ciudad, sino hacia una nueva vida en Cristo; esa es la conversión. Ciertamente la religión no alcanza para lograr nuestra salvación; las doctrinas pueden ser una excusa, una cortina de humo detrás de la cual intentamos esconder nuestros propios pecados. La teología no salva, la institución eclesiástica tampoco, solo Cristo salva.

Un error común es suponer que la conversión es puntual. Ciertamente se inicia en un punto, en una decisión personal, pero la conversión es lineal. Es decir, es un largo proceso: Justificación por la fe, regeneración y santificación. Como nos dice San Pablo: «Justificados, pues, por la fe, tenemos paz para con Dios por medio de nuestro Señor Jesucristo» (Romanos 5.1). Y San Pablo da testimonio, a través de sus epístolas, sobre su crecimiento espiritual; es decir, su creciente proceso de conversión hacia el modelo de hombre: Jesús.

La conversión de la mujer samaritana se transformó en el nacimiento de la primera iglesia cristiana en esa región. El Señor lo logró utilizando a una pastoreada y evangelizada como evangelista y pastora. Ese es el milagro de la fe. Hace varios años caminaba por una de las calles de la ciudad de México y me quedé impresionado por la belleza de un templo pintado de blanco, pintado de pureza. Me acerqué para ver a qué confesión cristiana pertenecía y me estremecí al ver un letrero que decía: IGLESIA DE SANTA MARIA MAGDALENA. A mi mente vinieron estas ideas: Solo Dios puede convertir en santa a una prostituta. Nadie queda dejado de la mano de Dios. Todo aquel que a Él se acerca puede alcanzar la salvación y la novedad de vida. ¡Qué maravillosa es la fe que tenemos y cuán poco a veces la valoramos! ¡Cuántas madres y padres oran por la conversión de sus hijos! ¡Cuántos hijos oran por la conversión de sus padres! Nada es imposible para Dios; solo es necesario perseverar en la fe, el testimonio y la oración.

¿Qué creyente no ha tenido un momento en su vida espiritual en que ha sentido el poder de Dios en su vida y el deseo de dar testimonio a otros de lo que Cristo ha hecho en su vida? Si usted es madre, padre, hija o hijo, piense hermano o hermana, por unos instantes, en el mejor momento de su vida espiritual. ¿No es lindo recordarlo, revivirlo, renovarlo?

Pero, ¿qué creyente no ha tenido un momento en su vida espiritual en que se ha sentido lejos de Dios, abatido, desilusionado, angustiado y culpable? Si usted es madre, padre, hija o hijo, piense hermano o hermana, en el peor momento de su vida espiritual. ¿Será hoy ese momento peor? ¿Estará usted metido en un torbellino de ideas que le conducen a la indecisión, angustia y culpa? Si es así, sepa que el evangelio no se ha aguado con el decursar del tiempo, que este sigue estando puro. Jesucristo no es un filósofo muerto, sigue vivo hoy, sigue amándole hoy. Le ofrece la misma vida nueva que ofreció a la mujer samaritana. No importa el pasado de una persona. Jesucristo hace nuevas todas las cosas. Nos puede renovar a nosotros, si de veras nos arrepentimos de nuestros pecados. No debemos hacerlo para darle el gusto a alguien, sino para darnos el gusto de tener paz con Dios, paz interior y, además, para ser una bendición para todos nuestros seres queridos y testimonio a la comunidad.

Podemos convertirnos en pastores y evangelistas de nuestros hijos solo si tenemos suficiente humildad como para dejarnos evangelizar todos los días por Jesús. Él es nuestro maestro de pastoral y de evangelización, pero también el que nos enseña a vivir una vida de amor, gozo y paz, como fruto del Espíritu Santo, el único que nos puede convencer de que somos pecadores. (San Juan 16.8). Solemos imitar a la Samaritana en nuestro intento de no reconocer nuestra condición pecadora. Nos defendemos como ella, a veces con argumentos teológicos, pero eso nos sirve solo para vivir una vida en escasez; pero el Señor nos ofrece una vida en abundancia. (San Juan 10.10).

¿Qué significa hoy seguir bebiendo las aguas podridas de nuestra propia cisterna, en lugar de beber el agua viva que nos ofrece Dios de su propio manantial, seamos padres o hijos? ¿Cómo podemos cambiar de bebida?

El diálogo entre los adolescentes, su madre y su padre, debe estar centrado en el amor de Cristo. Amor que se expresa, sublimemente, hacia una persona desconocida para Él, y pecadora, la samaritana. ¿Cuánto más amor debemos poner en el diálogo con nuestros propios hijos?

10

Algunas pautas pastorales para la educación cristiana de los hijos

La madre es el primer ser todopoderoso, amoroso y protector. También es la primera escuela de oración. El recién nacido, cuando siente sensaciones displacenteras, como no puede hablar, se comunica en la única forma que lo puede hacer, llorando. Con el tiempo, el bebé humano aprende que mediante el llanto puede alimentarse, hacer que lo laven, le cambien los pañales, lo mimen, etc. El llanto es la primera oración del ser humano, la cual, en la mayoría de los casos, es respondida inmediatamente por la madre y a veces por el padre. En la primera etapa de la vida, la madre ejerce una mayor influencia y, por lo general, es la única reconocida, especialmente a través de la mirada. Así se establece la primera relación entre el candidato a ser sujeto humano y su progenitora, que podrá llegar a ser madre.

Debo aclarar lo que he escrito en la última oración del párrafo anterior. Ciertamente, no todo bebé puede llegar a ser sujeto humano, ni todas las progenitoras a ser madres. Los pocos casos estudiados de bebés humanos abandonados a su suerte en un bosque, prueban la veracidad de mi afirmación. Por ejemplo, los niños lobos tenían cuerpos humanos, pero actuaban como lobos. Luego, no eran humanos, porque no pudieron aprender a hablar, no asimilaron la educación que se intentó darles, y murieron en cautiverio. Igualmente, no toda mujer que trae una criatura al mundo es una madre. Las hay que, al producto de su vientre, lo venden, lo regalan; y en ocasiones, lo matan. Estas no son madres, son solo progenitoras. Ser madre significa una relación de amor.

Como contrapartida, podemos afirmar que sí es madre la mujer que no tuvo en su vientre a una criatura, si cuando la adopta como hija, la ama. Esta es tan madre como cualquier otra. Después de la madre, aparece el padre como otro ser poderoso y omnipotente. Una mujer me dijo acerca de su padre: «Durante mi niñez vi a mi padre como un superhombre. Jamás dudé de cuaquier cosa que él pudiera decirme. Eso me duró hasta los diez años, más o menos». Todo lo que esta persona guardó en su mente durante sus primeros diez años de vida quedó grabado indeleblemente. Después, a los treinta y cinco años, estando casada y con hijos, tuvo dificultades psicológicas causadas por algunas de las ideas erróneas de su padre. Ideas que ella aceptó como verdad absoluta en la niñez y que años después rechazó conscientemente. Sin embargo, esas ideas le crearon, inconscientemente, tales dificultades que pusieron en peligro su matrimonio.

La palabra de los padres para los niños pequeños es semejante a la palabra divina, por lo tanto, es infalible, veraz, etc. En ese período de la tierna vida infantil, las palabras de los padres se graban indeleblemente en el psiquismo. Así se graban huellas mnémicas que pueden perdurar por el resto de la vida del sujeto, consciente o inconscientemente. Teniendo en cuenta el poder de la palabra de los padres en la primera infancia, es muy importante que estos se encuentren bien informados acerca de todo el bien, y de todo el mal, que pueden hacer con ese poder de grabar ideas y pensamientos en la mente de sus hijos. Sobre todo, pensando en que estas se han de mantener en ellos toda la vida, a menos que sean sustituidas por mejores ideas y pensamientos. Los padres son los primeros educadores cristianos de sus hijos, no solo por lo que dicen, sino especialmente por lo que hacen.

El padre y la madre son los guías espirituales primarios de sus hijos, o, por lo menos, uno de los dos. Ese es el caso de Susana Wesley, la madre de los instrumentos utilizados por Dios para lograr el más grande avivamiento espiritual del siglo dieciocho, Juan y Carlos Wesley. En aquella época no existía la radio, ni la televisión, ni literatura especializada para la educación cristiana. Sin embargo, esta madre, que tenía casi una veintena de hijos, hizo de la cocina de su casa una oficina pastoral, dedicando un día al mes para tener entrevistas personales con cada uno de ellos para orientarlos en la vida cristiana. No sabemos qué métodos educativos utilizó Susana Wesley, pero conocemos los resultados, y eso es suficiente. También sabemos que fue una mujer muy piadosa y que todo lo que realizaba lo hacía con mucho amor.

La realidad cotidiana, que constatamos en nuestras congregaciones, es que no todos los padres tienen éxito en la educación cristiana de sus hijos. Quizás porque no todos tienen la misma piedad, el mismo amor, ni el mismo nivel de salud mental e intelectual. Los niños pequeños están ciegos en cuanto al conocimiento de la luz de Dios en Cristo. Como dijo el Señor: «Y si el ciego guiare al ciego, ambos caerán en el hoyo» (San Mateo 15.14) Muchos padres, con buenas intenciones, han dañado seriamente a sus hijos, ofreciéndoles una educación cristiana deficiente. La iglesia debe ofrecer una adecuada capacitación a los padres para que no hagan daño a lo que ellos más aman, sus hijos. La educación cristiana tiene sus objetivos y sus métodos, cuyos fundamentos básicos deben ser conocidos por los padres cristianos.

La pastoral maquiavélica

Debido a la utilización de objetivos y métodos erróneos en la educación cristiana de los hijos, se ha producido lo que se me ha ocurrido llamar, la pastoral maquiavélica. Reconozco que no he realizado una investigación acerca de la educación cristiana ofrecida a los niños por sus padres. Para elegir un título, como el que he escogido para esta parte de la reflexión de este capítulo, he partido del tratamiento de personas adultas, mayores de cuarenta años, que sufren las consecuencias de una educación cristiana maquiavélica. Debo señalar que he encontrado casos de personas, mal o bien enseñadas, en hogares católicos y evangélicos. En mi experiencia no hay mucha diferencia, a nivel estadístico, entre católicos y evangélicos, para cometer errores en la educación. No es lo mismo enseñar que educar. Enseñar puede cualquiera, bien o mal, pero cualquiera no sabe educar conforme al evangelio. Para educar es necesario tener objetivos claros. Es decir, se debe saber qué es lo que deseamos transmitir a nuestros hijos y debemos tener métodos adecuados para alcanzar los objetivos que deseamos.

El lector se preguntará: «¿Por qué este autor le llama maquiavélica a cierto tipo de pastoral familiar?» Esta es la respuesta: «Porque hay padres, y madres, que antes de enseñarles a sus pequeños hijos que Dios es amor, los asustan con el castigo de Dios». El énfasis de tales padres no está en el amor, sino en el miedo a Dios. Justamente eso es lo que enseñó Maquiavelo sobre la relación que debería existir entre el príncipe, sus súbditos y sus soldados. Estas son sus palabras:

> Y los hombres tienen menos consideración en ofender a uno que se haga amar que a uno que se haga temer; pues el amor se retiene por el vínculo de la gratitud, el cual, debido a la perversidad de los hombres, es roto en toda ocasión de propia utilidad; pero el temor se mantiene con un miedo al castigo que no abandona a los hombres nunca.[1]

Un poco más adelante añade:

> Volviendo a la cuestión de ser temido y amado, concluyo, pues, que, amando los hombres a su voluntad y temiendo a la del príncipe, debe un príncipe cuerdo fundarse en lo que es suyo, no en lo que es de otros: debe solamente ingeniárselas para evitar el odio, como he dicho.[2]

Reitero que mis reflexiones sobre la pastoral maquiavélica son el producto de mi trabajo con adultos que viven las angustias de una educación cristiana deficiente durante la niñez. Voy a comenzar por un testimonio personal, una anécdota de mi niñez, cuando yo era católicorromano. Estaba jugando con un grupo de amigos de mi edad. Hacíamos mucho ruido; de pronto apareció mi madre y nos dijo: «Chicos, no sigan gritando, hoy es Viernes Santo, Dios está muerto, y el diablo anda suelto, les puede pasar algo por portarse mal». Como ya he señalado, para un niño la palabra de la madre puede tener un carácter sagrado e infalible. Me llené de terror ante una posible aparición del diablo. Una hora más tarde tenía cuarenta grados de temperatura. Cuando mi madre salió a buscar un médico, mi padre se puso a conversar conmigo, y Dios lo usó para liberarme de mi terror. Cuando le dije que tenía mucho miedo por las palabras de mamá, él me dijo con convicción: «Tu madre debe haberse confundido, hijo. Dios es eterno, y por lo tanto no puede morir nunca. El que murió, pero hace muchos años, fue Jesús. Además, si crees en Dios no tienes razones para temerle al diablo». Cuando el médico apareció, dos horas más tarde, yo estaba sin fiebre. Todos somos sugestionables, unos más que otros. Los padres deben cuidarse de lo que dicen a sus hijos, cuando estos son pequeños.

A veces los padres asustan a los niños para que se porten bien, y eso suele dejar su huella maquiavélica. El temor no es un buen método educativo. Afirmaciones como las siguienes: «Dios te va a castigar...» «Si te portas mal va a venir el cuco, o el hombre de la bolsa te va a llevar si no me obedeces», también dejan sus maléficas huellas en algunas personas. Los padres no tienen mala intención al asustar a sus niños; a veces es su manera de intentar protegerlos. Recuerdo el caso de una madre que, para que su hijito no saliera al patio, puso un pollito de plástico en el medio de la puerta de salida al patio, y le advirtió que no debía salir, porque si lo hacía... el niño no salía. Realmente, no era el pollito, sino la autoridad de la madre, representada en ese símbolo, lo que asustaba al chico. La palabra de la madre se vuelve «sagrada»; por eso el niño no duda, por eso obedece, pero se llena de miedo. El temor es el método maquiavélico; el de Dios es otro, es el del amor.

Un profesional universitario, con más de cuarenta años, casado y padre de tres hijos sentía gran temor a morir e ir al infierno. Era un cristiano militante, profesor universitario, que no podía evitar el temor a pasar la eternidad en condenación. En una ocasión me dijo: «Mi angustia es tan grande que a veces he deseado morirme, porque le tengo más temor a vivir pensando en el castigo de la eternidad, que morir para ver si es verdad. A veces tengo ganas de morirme. No me voy a suicidar porque si lo hago me voy de cabeza al infierno». En otra ocasión dijo: «Es una pena que me invada este temor, porque tengo una linda familia. Este estado no se me presenta todo el tiempo; lo que me ocurre es como una idea parásita que viene, me tortura y se va. En ocasiones aparece por la mañana, al despertar, y no puedo levantarme para comenzar la vida cotidiana; necesito dedicar algún tiempo a sufrir pensando en la eternidad, en la posibilidad de mi condenación». El padre de este hombre es muy autoritario, aún hoy pretende manejar la vida de sus hijos. Durante su niñez no se podía hablar en la mesa, y si venía un visitante, los niños tenían que irse a su pieza. Según su padre: «Los niños hablan solo cuando las gallinas mean». Entonces, para este padre, los niños nunca pueden hablar. Hay padres que todavía tienen pensamientos similares; no se imaginan cuánto daño están haciendo a sus hijos.

Veamos ahora otro caso. Se trata de una persona que ha terminado una carrera universitaria y que es un fiel miembro de una congregación evangélica. De niño recibió una orientación cristiana sobre la base del castigo de Dios, cuando uno se porta mal. Su padre era laico, pero ejercía cierto liderazgo en la iglesia, y a veces asesoraba a miembros de la congregación en su casa. Siendo muy pequeño escuchó en varias ocasiones las palabras de asesoramiento pastoral de su padre para algunos creyentes. Un argumento «teológico» que su padre solía repetir es el siguiente: «No hay peor castigo que ver sufrir a una persona que uno quiere, por ejemplo, un hijo. Muchas veces cuando una persona comete pecado, la culpa del padre la pagan los hijos y no el padre. De esta manera, sufre más el padre, al ver sufrir al hijo». Le dije que justamente eso era lo que él estaba haciendo; estaba sufriendo para pagar los pecados de su padre y me respondió: «*Cuando él lo decía, yo estaba convencido de que era así*». Le dije que él creía en un quinto evangelio, en el evangelio según su papá. Él reconoció que no hay sustento bíblico, a la luz de la revelación de Jesucristo, para sostener esa interpretación del sufrimiento humano. Él lo entendía conscientemente pero, inconscientemente, seguía creyendo en el evangelio según su papá, y consecuentemente, sufría mucho por motivos por los cuales un cristiano normal no sufre.

Podría continuar con relatos de otros casos similares, donde personas adultas presentan la sintomatología del miedo al castigo, sin que existan causas reales para sentir semejante terror. Tenemos que reconocer la veracidad de las palabras de Maquiavelo: «Pero el temor se mantiene con un miedo al castigo que no abandona a los hombres nunca».[3] Un pastor, que no esté equipado con ciertas herramientas psicológicas jamás podrá ayudar a un creyente que se cree culpable, porque el miedo al castigo fue implantado en él en momentos en que se estaba estructurando su psiquismo. Recuerdo que el responsable de una denominación evangélica me pidió que ayudara a uno de sus pastores. El pedido vino cuando este pastor pidió ser bautizado por séptima vez. Este hermano sufría de unos terribles sentimientos de culpa y pedía la repetición del bautismo porque creía haber descubierto, o recordado, algún pecado que había olvidado confesar a Dios antes del bautismo. Era predicador y tenía terror de estar en condenación, lo cual deseaba evitar con un nuevo bautismo. Este pobre hombre había sido formado bajo la pastoral maquiavélica. Afortunadamente, el líder de su denominación se dio cuenta de que este pastor no tenía un problema espiritual, sino psicológico.

La estructuración psíquica y la pastoral maquivélica

Varias veces me he referido a las estructuras psíquicas; me parece importante volver sobre este tema. Es evidente que el mayor peligro en la educación cristiana es cuando se introduce el miedo al castigo de Dios, cuando todavía el psiquismo no está bien estructurado. No quiero decir que no tenga sus riesgos después de los seis años. A veces también se puede dañar a una persona en la preadolescencia, o aun después; todo depende de la sensibilidad y la sugestionabilidad de cada sujeto. Afirmo en forma categórica que el amor debe ser el centro de todo trabajo pastoral; jamás el temor.

Es posible que algunos se resistan a pensar que sea peligroso asustar a los niños para que sean buenos cristianos. Dios se nos revela de muchas maneras, y su propia creación nos muestra el cuidado que debemos tener con los niños. La voluntad de Dios se expresa haciendo nacer al ser humano prematuramente. Un chivito recién nacido, al rato caminará; un bebé humano necesitará un año, o más, para madurar lo suficiente para poder hacerlo. Inútil será todo intento de hacer caminar a un bebé humano de seis meses. Sus conexiones del sistema nervioso no se han completado, porque los humanos nacemos prematuramente, porque somos más que animales. Veamos otro ejemplo: Si juntamos dos bebés de cinco meses, uno humano y el otro chimpancé, el monito será mucho más inteligente que el bebé humano. Pero este llega a un punto en su desarrollo donde se detiene. Por el contrario, el bebé humano no se detiene en su desarrollo; pasa al mono y continúa creciendo. Necesitará muchos años para llegar a ser adulto.

Si el desarrollo del cuerpo y de la mente es tan complejo, ¿cómo no ha de serlo el desarrollo espiritual? Luego, sería peligroso, para la salud mental del ser humano en desarrollo, que en su mente en proceso de estructuración, se introduzcan ideas acerca de un Dios que castiga, que condena, y que quema a los pecadores en las llamas del infierno. Se puede hacer mucho bien, o mucho mal; todo depende si la educación cristiana se fundamenta sobre el amor o sobre el temor.

La pastoral del amor

La pastoral que llamo maquiavélica, tiene su base en el Antiguo Testamento, pero mal interpretado. Hay muchos pasajes que se refieren al «temor de Dios». Los pasajes oscuros deben ser interpretados a la luz de los claros. Cuando hay un pasaje difícil de comprender, se debe buscar otro, más claro, que trate el mismo tema. Con la luz del pasaje claro podemos interpretar adecuadamente el oscuro. Además, todo texto debe interpretarse en su contexto. Cuando se toma un texto fuera de su contexto, el intérprete tiene un pretexto para probar cualquier cosa. Para el cristiano, Jesucristo es la máxima revelación de Dios. Por lo tanto, cualquier interpretación de un texto que esté en desacuerdo con la enseñanza de nuestro Señor, es una interpretación errónea. El concepto hebreo de temor no siempre se refiere al estado psicológico de temor o miedo. En muchos textos se refiere a la reverencia y el respeto que debemos sentir hacia Dios. Diríamos que, ante la grandeza de Dios y nuestra propia pequeñez, el hombre siente un temor reverencial, que es normal, hacia el Ser Supremo.

La pastoral del amor aparece en el Antiguo Testamento como una acción pastoral de Dios, quien llama al profeta Oseas en el siglo octavo a.C., y le ordena proclamar el amor de Dios hacia su pueblo a pesar de su infidelidad. Oseas presenta el mensaje divino, no solo con la palabra, sino poniendo la palabra en acto. Es por eso que, por orden divina, se casa con una hieródula, una sacerdotisa sagrada del culto de Baal, que ejercía la prostitución ritual en el templo del dios de la fertilidad. El teólogo E. Jacob nos hace el siguiente comentario:

> El tema del matrimonio sagrado, él (Oseas) lo despoja de su aspecto naturista para hacerlo expresar la relación de fidelidad y de ternura entre Dios y su pueblo, que un concepto exclusivamente jurídico, es decir, el de la alianza era incapaz de descubrir; mostrando al mismo tiempo que Yaveh es el Señor de toda vida sobre la tierra, elimina al baalismo de la vida agrícola, donde muy a menudo los israelitas le concedían una consideración complaciente.[4]

Es a partir del mensaje de Oseas que los epitalamios nupciales, conocidos como Cantar de los Cantares, fueron incluídos en el canon del Antiguo Testamento porque se interpretaba que, simbólicamente, el esposo era Dios y la esposa su pueblo. Por la influencia del mensaje de Oseas, la imagen conyugal fue utilizada por otros profetas; aparece cuatro veces en Jeremías (2.23; 3.1-2; 30.14 y 31.22). Y Ezequiel toma de nuevo el tema en las alegorías que presenta en los capítulos dieciséis y veintitrés.

Según los relatos del Nuevo Testamento, nuestro Señor aparece en el papel del esposo o del novio, que en el Antiguo Testamento pertenece a Yaveh. En el Evangelio según San Marcos leemos:

Jesús les dijo: ¿Acaso pueden los que están de bodas ayunar mientras está con ellos el esposo? Entre tanto que tienen consigo al esposo, no pueden ayunar. Pero vendrán días cuando el esposo les será quitado, y entonces en aquellos días ayunarán. (San Marcos 2.19,20; cf. San Mateo 9.15; San Lucas 5.34,35)

La relación amorosa de Dios con su pueblo aparece en otros textos de los evangelios sinópticos, en San Juan 3.29; en San Pablo, especialmente en las Epístolas a los Corintios (2 Corintios 11.2) y a los Efesios (5.23). También aparece en Apocalipsis 19.7 y 21.2.

Jesucristo jamás utilizó sus poderes para asustar a los hombres. Jamás dejó paralítico o ciego a un ser humano. Por el contrario, utilizó sus poderes para poner en acto su amor. Si Él no lo hizo, ¿por qué hacerlo nosotros? ¿Por qué asustar a los chicos diciéndoles que Dios los va a castigar? ¿Por qué colocar el temor por encima del amor de Dios? Nuestro Señor Jesucristo no nos amenaza con un castigo para que «nos portemos bien». Por el contrario, nos dice: «Si me amáis, guardad mis mandamientos» (San Juan 14.15). El versículo que en cierta manera resume todo el evangelio, Juan 3.16, nos muestra la grandeza del amor de Dios y su intención de salvarnos. Hay un texto bíblico donde aparecen enfrentados el temor y el amor: «El perfecto amor echa fuera el temor» (1 Juan 4.18). Otro texto fundamental, que deben tener en cuenta los padres para la educación de sus hijos es el siguiente: «El que no ama no ha conocido a Dios, porque Dios es amor» (1 Juan 4.8). ¿Y que decir de 1 Corintios 13? La pastoral del amor debe colocar a Dios, y no al diablo, en primer lugar. El amor, y no el temor, debe dirigir la educación cristiana de los niños y de las niñas, porque Dios es amor.

El predominio del amor sobre el temor no significa que los padres deban ser permisivos. El amor debe ser completado con los límites como hemos visto en el capítulo 8. Los hijos interpretan la falta de límites como falta de amor. Recuerdo el caso de una adolescente cuyos padres no le ponían límite; podía hacer todo lo que se le ocurriera, sin recibir reproche alguno. Ella envidiaba a sus amigas cuyos padres les prohibían algunas cosas. Un dia convenció a varias amigas a ir a ver salir el sol en la costanera del Río de la Plata. Todas sus amigas avisaron a sus respectivos padres que no vendrían a dormir, poniendo excusas de quedarse en casa de tal o cual amiga. Pero esta adolescente, a quien le pondremos por nombre: Mónica, no llamó a sus padres. A las nueve de la mañana, del día siguiente, apareció frente a su casa. El corazón le latía fuertemente, estaba muy emocionada: «Ahora sí me van a decir algo», pensaba. Para su sorpresa, la madre le dijo: «Hola hija, ¿ya desayunaste?» Mónica se fue al baño a llorar, no podía resistir tanta indiferencia. *¡Tanta falta de amor! El amor, como los límites, es indispensable en la vida de toda persona. Vale también para las relaciones entre personas adultas.*

La pastoral del amor realizada por el Señor según San Juan 9.1-41

Nuestro Señor Jesucristo se define a sí mismo de la siguiente manera:

> Yo soy el buen pastor; el buen pastor su vida da por
> las ovejas ... Yo soy el buen pastor; y conozco mis ovejas,
> y las mías me conocen. (Juan 10.11,14)

Es en acción pastoral que se encuentra con el joven ciego de nacimiento, según el relato que nos ofrece San Juan 9.1-41. Aquí son los discípulos los que hacen una pregunta de un profundo contenido teológico: «¿Quien pecó, este o sus padres, para que naciera ciego?» En la pregunta está implícita una vieja doctrina: «La retribución inmediata», según la cual toda persona que sufre alguna dolencia ha cometido algún pecado por el cual Dios lo está castigando. Este error ha llegado hasta nuestros dias. Todavía encontramos algunas personas que le dicen a un chico: «Si no te portas bien, Dios te va a castigar».

Esto plantea un viejo problema filosófico y teológico: ¿Puede sufrir una persona buena? ¿Son pecadores todos los que sufren? En la antigua Grecia, Solón atribuía el sufrimiento a la moira o fatalidad. Esta consistiría en algo similar a lo que hoy llaman virus, cuando no hay otra explicación. Un contemporáneo de Solón, el autor del libro de Job, presenta una tesis contra la doctrina de la retribución inmediata. Se refiere a un hombre bueno, llamado Job, el cual no había pecado y sin embargo tuvo que enfrentar el sufrimiento.

A pesar del libro de Job, en tiempos de Jesús la doctrina de la retribución inmediata era creída por muchas personas, entre ellos los propios discípulos de Jesús. Lo que ellos querían saber era de quién era la culpa, si del ciego o de sus padres. Jesús rechaza la doctrina de un Dios sádico y cruel afirmando: «No es que pecó este, ni sus padres, sino para que las obras de Dios se manifiesten en él».

La amorosa actitud pastoral de Jesús para con el ciego crea una tremenda tensión con los dirigentes eclesiásticos, por cuanto el milagro había sido realizado un dia sábado. Muchas veces, también hoy, la religión puede ser enemiga de la fe. Es por eso que muchas personas que no han dejado de creer en Dios, lamentablemente han dejado de creer en la iglesia como institución. Digo lamentablemente porque, bíblicamente, no es posible tener pastor sin estar en el rebaño. En todo caso es cuestión de curar al rebaño si es que se ha enfermado. Aunque así fuere, tenemos que reconocer que la iglesia, aunque enferma, es la única enfermera que le queda al mundo.

Los padres del joven estaban atemorizados por la actitud inquisidora de los fariseos. En contraste con ellos aparece la actitud valiente y decidida del joven sanado que llega a atreverse a preguntar a los fariseos si ellos también deseaban convertirse en discípulos de Jesús.

No existen argumentos contra una experiencia personal; no hay doctrinas capaces de apartar a un creyente de la certeza y la alegría de un encuentro con Dios. Ese es el caso del joven curado de su ceguera quien, ante los que afirmaban que Jesús era un pecador, declara: «Si es pecador, no lo sé; una cosa sé, que habiendo sido ciego, ahora veo».

Experiencias de encuentro con Dios, y de sanidad divina, las encontramos también hoy. Si así no fuere, no tendría ningún sentido que hiciéramos oraciones de intercesión por los enfermos. Supongo que muchos de los lectores podrían dar testimonios al respecto.

Un miembro de mi congregación local, la hermana Viviana García de Deparis, me entregó un cuento suyo titulado: «El encuentro», que nos ayudará a ilustrar lo que estamos diciendo en relación a la certeza que se experimenta en una experiencia personal. Voy a reproducir solo dos párrafos:

> Tomé coraje, me detuve y miré... ¡DIOS mismo caminaba junto a mí! Por inercia siguió mi marcha; mi voz no podía salir, mis lágrimas y un nudo en la garganta contenían los golpes de mi corazón que sacudían mi pecho. Mis ojos no querían parpadear para no perder ni por un segundo la imagen del SEÑOR... Caminamos un largo rato... Él me hablaba como un amigo con el que uno se cría, me llamaba por mi nombre y me escuchaba con atención.

> Hoy me pregunto: ¿alguien podrá creer mis palabras? Pero de algo estoy segura... MI ALEGRÍA DELATARÁ EL ENCUENTRO.

Ciertamente la alegría del joven que había recibido la vista, siendo ciego de nacimiento, delataba el encuentro. El encuentro con Jesucristo.

Hay una palabra griega que aparece dos veces en el relato y sobre la cual deseo reflexionar por la importancia que tiene, no ya para el crecimiento numérico de la iglesia, sino para el crecimiento interno de cada uno de los creyentes. Por supuesto, no tiene ningún sentido el crecimiento numérico si paralelamente no se produce la maduración cristiana, o sea, el crecimiento personal en cada uno de los que integran la congregación. La palabra en cuestión es helikía. Veamos los textos:

Sus padres respondieron y les dijeron: Sabemos que este es nuestro hijo, y que nació ciego; pero cómo vea ahora, no lo sabemos; o quien le abrió los ojos, nosotros tampoco lo sabemos; edad [helikía] tiene, preguntadle a él; él hablará por sí mismo. (Vv. 20,21)

Esto dijeron sus padres, porque tenían miedo de los judíos, por cuanto los judíos ya habían acordado que si alguno confesase que Jesús era el Mesías, fuera expulsado de la sinagoga. Por eso dijeron sus padres: Edad [helikía] tiene, preguntadle a él. (Vv. 22,23)

La palabra *helikía*, que en este texto se traduce por «edad», se traduce por «estatura» en Efesios 4.13 (Versión Reina-Valera). San Pablo la coloca en el contexto de la concepción de la Iglesia como el Cuerpo de Cristo, imagen similar a la del rebaño del cual Jesucristo es el pastor. Según el texto paulino, el ministerio de la iglesia debe ser realizado por las personas a las cuales Dios les haya concedido determinados dones. Pero aclara que estos dones no son para desarrollar el orgullo y la vanidad de quienes los poseen, sino para «perfeccionar a los santos para la obra del ministerio, para la edificación del Cuerpo de Cristo, hasta que todos lleguemos a la unidad de la fe y del conocimiento del Hijo de Dios, a un varón perfecto, a la medida de la *estatura* [*helikía*] de la plenitud de Cristo» (Efesios 4.12,13, cursivas añadidas).

Aquí más que de edad o de estatura, *helikía* se refiere a madurez. Eso es lo que logró el joven que había nacido ciego. Eso era lo que le faltaba a la dirigencia del pueblo de Dios, a los fariseos, preocupados más por su prestigio personal que por la gloria de Dios.

Al rebaño de Dios le ha faltado madurez a lo largo de la historia. Pero Jesucristo, el Señor de la Historia levantó adalides en cada ocasión. Ocurrió en los oscuros tiempos medievales y el Pastor renovó a su rebaño a través de adalides llamados a servirle.

En el siglo dieciocho, en Inglaterra, al rebaño de Dios le faltaba madurez, pero Dios levantó a hombres como Juan Wesley para renovar a la iglesia. En todos los casos el impacto divino es sentido por toda la iglesia. Uno se pregunta qué sería la iglesia católica hoy, si no hubiera existido la Reforma Protestante. Pero también podemos preguntarnos: ¿Que sería de las apoltronadas iglesias históricas si no existiera el desafío de las sectas?

En nuestro caso, en la congregación local, necesitamos también el crecimiento personal de cada oveja para hacer posible el crecimiento y la madurez del rebaño.

El alimento espiritual viene de Dios, pero para que pueda ser digerido es necesario cocinarlo. Esa es la tarea del grupo de hermanos que cumplen tareas pastorales en una congregación local. Todos sabemos que un ejército hambriento y pasando frío (como en Malvinas) no puede ganar una guerra. Y una iglesia sin alimento espiritual corre el riesgo de debilitarse hasta su muerte. Solo las ovejas pueden reproducirse a sí mismas; el Pastor solo las alimenta.

Jesucristo afirma que no fue el pecado la causa de la enfermedad del joven que nació ciego. La doctrina de la retribución inmediata es falsa, lo dice el propio Jesucristo. Pero la gloria de Dios pudo manifestarse en el enfermo. La gloria de Dios vino envuelta en amor para esta persona necesitada. Muchos ciegos hay hoy, aunque no se den cuenta que son novidentes de las realidades más importantes de la vida humana, las del espíritu. Ciegos como Saulo de Tarso pueden ver la luz y mostrarla a otros con la alegría del encuentro. Ese es el corazón de la evangelización. Como dice Liliana en su cuento: «MI ALEGRÍA DELATARÁ EL ENCUENTRO!»

Referencias bibliográficas

1. N. Maquiavelo, *El Príncipe*, Ediciones Nacionales Círculo de Lectores Edinal Ltda, Editorial Brugera, Bogotá, 1980, pp. 126,127.
2. *Ibid.*, p. 128.
3. *Ibid.*, p. 127.
4. E. Jacob, *Commentaire de l'Ancien Testament (XI) Osés*, Delacheaux et Niestlé, Neuchâtel, 1965, pp. 14,15.

11

La pastoral del aborto

En el tercer capítulo me referí a «La Imago Dei y el complejo de Edipo». O sea, a la coexistencia de la naturaleza moral y la naturaleza pecaminosa en el ser humano, por la caída. No quiero decir que la sexualidad sea pecado, todo lo contrario; ya he señalado, claramente, que se trata de una creación divina que tiene como objetivo ser un medio idóneo para la plena expresión del amor. Amor que, a su vez, tiene que ver con la naturaleza divina, porque Dios, por definición bíblica, es amor (1 Juan 4.8).

Por cuanto en el ser humano coexisten dos elementos contradictorios entre sí, la esencia moral y la condición pecadora, de ambos polos opuestos saltan dos chispas; una es el sentimiento de culpa, y la otra, que crea enormes incendios, la necesidad de recibir un castigo por la falta cometida. Estas realidades, conscientes o inconscientes, se ponen de manifiesto en el aborto. Por lo menos, doy fe de que se ha expresado en muchos casos en los que he tenido que intervenir, que no son pocos.

Este es un tema muy complejo y demasiado frecuente en nuestros tiempos. Muchas jóvenes se someten a prácticas peligrosas sin que sus padres tengan la menor idea de lo que les está pasando. Este es un tema tabú del cual no se habla, pero se lo practica con más frecuencia de lo que suponemos. Falta diálogo entre padres e hijos, y también, una adecuada orientación pastoral de parte de la iglesia.

En mis archivos tengo muchos casos de mujeres que destilaron angustia por haberse hecho uno o varios abortos. Lamentablemente, algunas personas practican el aborto como un medio de planificación familiar, aparentemente, sin la menor conciencia de culpa.

Después aparecen trastornos físicos, psíquicos y espirituales de procedencia desconocida; algunas logran descubrir que el aborto produjo dichos trastornos. Otras, arrastran su pesada cadena a lo largo de toda la vida.

El nivel de culpa depende de la estructura psíquica de la mujer, y de la estructura familiar de donde procede. No necesitamos presentar muchos casos para explicar la necesidad de que la iglesia tenga clara esta problemática, y sea capaz de realizar una orientación pastoral adecuada a los tiempos en que vivimos. Voy a presentar solamente dos casos; me parece suficiente. He pedido autorización a dos personas que atiendo profesionalmente para referirme a sus dificultades. Les agradezco que me lo hayan permitido. Una procede de una familia aglutinada en simbiosis patológica; la otra de una familia que tiende más a ser esquizoide o dispersa. (Las estructuras puras existen, pero también las hay con distintos matices.) Las dos han expresado su deseo de que la difusión de sus experiencias haga bien a otras mujeres, y les sirva de ejemplo, para que no tengan que pasar por las tristes circunstancias que ellas han vivido. A la primera le han hecho ocho abortos. Durante muchos años, a nivel consciente, no sintió culpa alguna. Tiene cinco hijos. Sin los abortos, tendría trece. Los embarazos fueron producidos, siempre, por una misma persona, su marido. No se trata de promiscuidad sexual, ni nada por el estilo. Sin embargo, había en esta persona varios síntomas que aparentemente nada tenían que ver con los abortos. En primer lugar, un odio generalizado a los hombres porque todos eran seres degenerados; a las mujeres las odiaba porque gozaban, y ella no podía arribar al orgasmo. Otro síntoma que padecía era una fuerte contractura muscular en la nuca, el cuello y los hombros. Además de un gran malestar en los ojos. Tenía sueños horribles, casi siempre persecutorios. Todas las mañanas se levantaba de mal humor, y no sabía por qué. La culpa siempre la proyectaba hacia afuera. Los demás eran malos, ella era una pobre víctima. No se daba cuenta de que su peor enemigo estaba dentro de ella. Que era ella misma, o la otra que la habita, su inconsciente.

No fue fácil desenredar la madeja, porque para ella los abortos no le producían culpa alguna. Cada vez que le mencionaba el asunto me respondía: «Eso ya fue, no tiene nada que ver». Pero un día apareció muy angustiada; había visto por televisión la forma en que se hacen los abortos en algunos países donde esta práctica es legal. Repetía una y otra vez, entre sollozos: «Tenía más de tres meses, y el médico me dijo que seguía con vida; me dijo que tuvo que matarlo. Uno es feo, calcule usted ocho, me hice ocho abortos». Su primer aborto, al que hacía referencia, se lo hizo siendo soltera. Todos los demás estando casada, porque su marido no quería tener muchos hijos; él la forzó a que los hiciera.

Las contracturas musculares eran producidas por la carga psíquica, moral y espiritual que soportaba sin darse cuenta. Su cuerpo se comportaba como si llevara, siempre, una bolsa de cincuenta kilos sobre sus hombros. Y la llevaba, pero no era una bolsa real, sino imaginaria, y estaba repleta de contenidos morales, psicológicos y espirituales. El concepto teológico de la *Imago Dei*, no es un chiste creado por algún teólogo; es una realidad incuestionable, del cual el relato de la creación y de la caída dan cuenta (cf. Génesis capítulos 1—3). Hay conciencia moral y necesidad espiritual en todos los seres humanos, aunque no asistan a iglesia alguna. Al tema de la *Imago Dei* me refiero con bastante extensión en mi libro que les cité en el tercer capítulo.

Antes de entrar a considerar el segundo caso, es necesario que reflexionemos sobre el sentimiento de culpa y la necesidad de castigo en el ser humano. En este caso se trata de una enfermedad producida por la culpa, una dolencia que se procura ni siquiera mencionar, el cáncer. La paciente llega derivada por el oncólogo que le extirpó parte de un pecho. Él había entrevistado a la paciente y había indagado sobre una posible etiología psicosomática del cáncer. Esta derivación no habría sido hecha varias décadas atrás, cuando los cirujanos se sentían omnipotentes. Hoy se reconoce, cada vez más, la interconexión entre lo físico, lo psicológico y lo espiritual.

Antes de entrar a considerar este caso, voy a compartir una experiencia singular que tuve el 8 de agosto de 1990. Fui invitado por el Dr. Ricardo Romero, profesor titular de la cátedra de Cirugía de la Facultad de Medicina de la Universidad Católica Argentina, para disertar ante los participantes de un curso de posgrado sobre cirugía plástica. El título para mi disertación, con debate posterior, fue: «Mas allá de la mastectomía: Un enfoque psicoanalítico». El tema me fue sugerido por un interés científico, pero también económico. Lo que le interesaba al titular de la cátedra, era indagar psicoanalíticamente el porqué del rechazo a la operación de reconstrucción mamaria de la mayoría de las mujeres a las que se les practicaba la mastectomía. ¿Por qué la mayoría prefería conservar la falta, donde antes estuvo una mama? Me interesó mucho la invitación y las inquietudes del Dr. Romero. Como no tenía bibliografía sobre mastectomía, él me prestó varios libros para estudiar el asunto, desde el punto de vista médico, para después hacer la interpretación psicoanalítica. Uno de los libros me llamó poderosamente la atención: *Breast Reconstruction Following Mastectomy* [La reconstrucción mamaria posterior a la mastectomía]. El capítulo segundo de este libro está dedicado a los efectos psicológicos sobre las mujeres que pasan por la experiencia de la mastectomía. De él tomé los siguientes datos estadísticos:

- El ochenta y dos por ciento de las enfermas sobrestiman el peligro del cáncer de mama.
- Solo el diez por ciento de las mastectomizadas procuran hacerse una operación de reconstrucción mamaria.

En mi opinión, ellas prefieren quedarse con la falta, con la marca en el cuerpo, porque esta les dice algo. Y se lo dice con el doble sentido de la palabra falta: Algo faltante, que no está más, pero también, falta como delito. Delito que, en cada acto de intimidad, queda expuesto a manera de un castigo. ¿Para qué les sirve ese castigo? Pues, para calmar la angustia que produce una culpa consciente o inconsciente.

En el segundo capítulo del libro que les he citado, se da prioridad a dos temas: la actitud hacia el cáncer; y la realidad de que el cáncer, en cualquier parte del cuerpo, no considerada erógena, no crea tanta angustia persecutoria sobre la feminidad, que el que se presenta en las zonas erógenas por excelencia.

Tomando como punto de partida el libro mencionado, elaboré mi interpretación psicoanalítica. Básicamente me referí a la culpa y a la necesidad de castigo, en este caso, autocastigo. Como sabía que al terminar me iban a bombardear con preguntas, terminé presentándoles una. ¿Por qué la mayoría de las personas que sufren de cáncer son afectados en sus zonas erógenas, especialmente mamas y próstata? El encuentro fue muy enriquecedor tanto para los cirujanos como para mí.

Toda esta información sirve de marco para presentar el segundo caso que he prometido. Vamos a darle un nombre, que no es real, Valeria. Le doy ese nombre porque creo que es una persona que vale mucho. Su primer tratamiento conmigo lo comenzó el 22 de enero de 1986. Vino por problemas de desajustes en su pareja. Entonces, surgió varias veces, con angustia, la información de que se había hecho un aborto antes de casarse. En la primera sesión lo relató así: «Era el mes de junio de 1974, no teníamos dinero para casarnos, estábamos los dos muy solos con este problema. La única solución era hacerme un aborto. Ocultamos a todos mi embarazo. Estábamos solos, temíamos pedir ayuda. Solo él y yo, aparte de la partera, sabemos esto. Usted es la tercera persona que lo sabe. Solucioné el problema, pero un aborto es algo terrible. Mi marido estaba más asustado que yo, éramos muy jóvenes. Lo hice yo sola; nos casamos dos años después».

Uno, por mucha experiencia terapéutica que tenga, no puede adivinar ¡con cuánta furia puede castigar la culpa a una persona! Ahora, revisando el historial, encuentro dos notas cortas. La primera la tomé el 7 de marzo de 1986: «Soy fatalista; por cualquier cosa que tenga el nene me doy un susto tremendo, tengo miedo de que le pase algo. Conmigo también, el otro día, *ya me veía con cáncer*». La segunda nota, que dejé pasar sin alarmarme, la tomé el 7 de abril de 1986: «Hace años me hice un aborto, y aún hoy no me lo perdono. Voy a misa, pero no me permito comulgar; tampoco he tenido el valor de confesar mi pecado». Llama la atención que las dos manifestaciones de Valeria fueron expresadas un día 7. Algo debe significar. En su momento, no lo tomé en cuenta. Con estos pocos datos no me podía imaginar lo que podría acontecer. Los desajustes de pareja fueron solucionados y le di de alta el 15 de septiembre de 1986.

Valeria volvió a verme nueve años después. Había sido operada de un cáncer de mama: «Dice el oncólogo que era uno de los tipos de cáncer más agresivos que existen. Por lo tanto, me dijo que había que hacer quimioterapia y psicoterapia para evitar una metástasis. Bueno, aquí estoy otra vez». A los pocos minutos de comenzada la primera entrevista, como si no recordara lo que ya me había dicho, expresó lo siguiente: «En un aborto, uno mata a un hijo; me lo hizo una partera en junio o julio de 1974».

Al comenzar su segundo tratamiento, para recordar lo pasado, me leí todo el historial y me encontré con las dos notas que he citado. En la segunda sesión le pregunté si continuaba sin poder comulgar. Entonces me dijo que sí, que lo había hecho. Pero antes había tenido que confesarse. Expresó que le costó mucho, pero que lo hizo. Ella se encontró con un sacerdote que hizo algo que no es común, pues, a su manera, hizo una intervención terapéutica, quizás sin saberlo. Le dijo a Valeria que su hijito estaba con el Señor y que debía ponerle un nombre. Además le sugirió que hiciera una misa por el descanso de su alma. Eso fue en el año 1989: «Le puse por nombre Nicolás, porque tenía la sensación de que era varón, pero la misa no la hice hasta diciembre de 1993, pero ya tenía cáncer. Fue en la primera misa carismática que asistí; pedí que oraran por mi hijo Nicolás. Treinta días después, yo misma me descubrí el bulto en el pecho». Inconscientemente, Valeria sabía que tenía cáncer. Por eso fue a la misa carismática a pedir por el descanso del alma de Nicolás. Ella relató así su experiencia: «Sentí una liberación tremenda ese día. ¡Qué pena que no lo hice antes! Cuando vine de la iglesia abracé a mi esposo llorando, los chicos me miraban asombrados, no sabían por qué lloraba tanto; mi marido sí lo sabía».

Esta experiencia fue de mucha ayuda espiritual; no obstante, el cáncer había estado trabajando por mucho tiempo y la operación fue inevitable. Si bien ella se sintió liberada, la culpa siguió existiendo a nivel inconsciente, más allá de la operación.

Pocos meses después de haber comenzado su segundo tratamiento, Valeria tuvo el siguiente sueño: «Viajaba en un ómnibus de larga distancia; iba con mi hijito, era varón, de pelo negro, muy bonito, tendría dos años. El nene tenía ganas de vomitar y para que no lo hiciera dentro del ómnibus le saqué la cabecita para que lo hiciera afuera. Fue un descuido mío; fui irresponsable, se me cayó por la ventanilla y murió, murió mi niño». El sueño fue contado con mucha angustia. Llama la atención la edad del hijito que se le salió por el agujero «del ómnibus». Recuerde el lector su dicho anterior: «Me casé dos años después». No fue necesario trabajar mucho con asociaciones, la culpa por el aborto era evidente. Continuamos el proceso terapéutico, y la culpa va siendo demolida. Ha surgido en ella un gran interés por el estudio de la Biblia, y de obras teológicas. Valeria va creciendo en su salud espiritual, psicológica y corporal. Está muy activa en su parroquia. Confío en que, por la gracia de Dios, con sus cuarenta y cinco años, y su linda familia, pueda disfrutar de la vida que el Señor le ha dado, y que lo haga por muchos años.

Pautas para el ministerio docente de la iglesia, sobre el aborto

Los dos casos que he presentado, muestran una realidad que pasa desapercibida para mucha gente. Esta realidad forma parte de la vida secreta de muchas personas y también de su sufrimiento en soledad. Es por eso que la iglesia debe cumplir su función docente antes de que algunas parejas se vean atrapadas en su propia confusión. Como cristianos debemos buscar orientación en las Sagradas Escrituras, fuente de nuestra fe y de nuestra vida ética y moral.

Hay solo un pasaje de la Biblia que se refiere al aborto, y dice lo siguiente:

> Si algunos riñeren, e hirieren a mujer embarazada, y esta abortare, pero sin haber muerte, serán penados conforme a lo que les impusiere el marido de la mujer y juzgaren los jueces. Mas si hubiere muerte, entonces pagarás vida por vida. (Éxodo 21.22,23)

Este texto se ocupa de una situación cultural ya superada. No toma en consideración la muerte del feto. Tampoco se ocupa del aborto producido intencionalmente, tal como se lo practica hoy. Es por eso que voy a investigar lo que dice la Biblia con relación a la vida del feto.

El primer libro de Samuel comienza con el dramático relato de la vida de oración de Ana, una fiel creyente, concentrada en su deseo de realiazarse como mujer, siendo madre. Después de escuchar las palabras del profeta de Dios, Ana tuvo la seguridad de que sería madre, aun antes de tener relaciones sexuales con su marido (1 Samuel 1.18-19). Samuel fue un niño concedido por Dios, y dedicado al ministerio divino antes de su existencia histórica. ¿Podemos decir lo mismo de todos los niños que nacen en este mundo? No puedo ofrecer una respuesta absoluta a esa pregunta. Pero la Biblia nos muestra algunos casos donde la fecundación se produce en cumplimiento de los propósitos de Dios, a los efectos de utilizar las personas que vendrían al mundo para cumplir una misión específica. Ese es el caso de dos de los profetas llamados mayores: Jeremías e Isaías. Jeremías recibe una revelación divina en el sentido de que él había sido elegido para cumplir su misión antes de su existencia histórica (Jeremías 1.5). Un testimonio similar encontramos en Isaías 49.1,5. En este caso se reconoce que el llamado al ministerio profético se produce cuando Isaías era solo un feto.

A partir de algunos textos bíblicos, podríamos fundamentar la tesis de que existe una especie de orientación espiritual del feto a través de las vivencias espirituales de la madre. Veamos un caso. Una mujer estéril, la esposa de Manoa, recibió la revelación de que tendría un hijo el cual comenzaría a salvar a Israel de las manos de los filisteos (Jueces 13.2-5). El niño nació y fue llamado Sansón, y en él se cumplió la profecía. ¿Por qué Dios se revela a la madre antes de la fecundación del óvulo? ¿Es que el conocimiento previo, por parte de la madre, es un medio que Dios utiliza como elemento constitutivo del nuevo ser? Si el estado físico y psíquico de la madre afecta positiva o negativamente al feto, es lógico suponer también que la relación que esta tenga con Dios, ha de influir sobre el nuevo ser.

En el Nuevo Testamento encontramos que la virgen María vivió una experiencia similar a la de la madre de Sansón (San Lucas 1.31-33). Lucas nos relata que en ocasión de la visita que María hace a su prima Isabel, estando las dos encinta, se produce una manifestación de vida emocional intrauterina. Dice la Biblia:

> Porque tan pronto como llegó la voz de tu salutación a mis oídos, la criatura saltó de alegría en mi vientre. Y bienaventurada la que creyó, porque se cumplirá lo que le fue dicho de parte del Señor. (Lucas 1.44,45).

Mucho se podría discutir sobre este texto si queremos hacer dialogar la revelación con la ciencia. Sabemos que muchas afirmaciones que hizo la ciencia ayer, hoy ella misma las rechaza. Se afirma que no hay tejido nervioso en el cordón umbilical, pero, ¿acaso no hay otras formas de comunicación, sobre todo, entre una madre y su hijo? Es digno de señalar el hecho de que en los ministerios de Sansón, Juan el Bautista y Jesús, la revelación divina se produce antes de la fecundación de los óvulos que habían de formar a estos escogidos de Dios para un ministerio muy particular.

Los fundamentos bíblico-teológicos para una pastoral del aborto están determinados por la definición de ¿qué, o más bien, quién es un feto? Dicho de otra manera, ¿es el feto un ser humano, o solo una posibilidad de vida humana? Los pasajes bíblicos que he citado nos indican claramente que la vida fetal es vida humana. Una teología seria, que sirva de base para la pastoral del aborto, toma en serio el carácter normativo de las Sagradas Escrituras. Nuestro principal problema es la hermenéutica, que no siempre se toma con seriedad. Aunque debemos reconocer que nuestro marco referencial siempre condiciona nuestra exégesis y nuestra hermanéutica. No obstante, con mucha humildad, fijo mi posición en esta importante manifestación ética. Yo creo que la vida fetal es vida humana y que esta realidad debe ser una pauta fundamental y básica para la docencia de la iglesia.

El presupuesto que acabo de enunciar, nos lleva de la mano a reflexiones mucho más complejas. Si la vida fetal es un proceso que ha de concretarse en una persona independiente de su madre, a nivel biológico, el proceso de humanización del ser humano según el modelo de Jesucristo, Segundo Adán e Imagen de Dios (2 Corintios 4.4; Colosenses 1.15-19; 3.9,10; Hebreos 1.3), comienza en el seno materno. Si esto es así, el aborto se vuelve mucho más grave ante nuestros ojos. No tenemos elementos para referirnos, afirmativa o negativamente, a la posible relación de un feto con Dios.

Alguien podría preguntarme: ¿Puedes fundamentar científicamente que el feto es humano? Mi respuesta, sería: la teología no se basa en la experiencia humana sino en la revelación divina, aunque reconocemos que la experiencia humana enriquece la interpretación de la revelación.

Multifacéticas expresiones de la pastoral del aborto

La responsabilidad pastoral de la iglesia no debe estar restringida a las fronteras congregacionales. El pastor y cada comunidad local, tienen una responsabilidad ante Dios y la comunidad donde le ha tocado servir al Señor, y ante todos los seres humanos por los cuales Él dio su vida.

La iglesia no debe asumir una actitud pasiva o indiferente frente a los grandes problemas morales de nuestro tiempo, especialmente en lo que al aborto se refiere. La acción pastoral más amplia puede expresarse a través de declaraciones públicas, que muestren claramente cuál es nuestra posición ante situaciones y problemas concretos, entre ellos, el aborto. Esta actitud, además del testimonio que se desprende del compromiso cristiano, contribuye al esclarecimiento y la orientación sobre temas fundamentales que suelen ser motivo de confusión y perplejidad en el pueblo.

La pastoral orientada al ámbito congregacional, es aquella que tiene al púlpito como principal vehículo de comunicación. La iglesia es la única institución que congrega semanalmente a millones de seres humanos para adorar a Dios y recibir orientación para la vida cotidiana. Sospecho que, a veces, no somos conscientes de lo que

Dios puede hacer a través del púlpito si realmente nos ponemos en sus manos. Pero, carecemos de unidad programática para la proclamación. Hay algunas denominaciones que usan un leccionario que indica a todos los pastores los textos sobre los que deben predicar cada domingo del año. Las iglesias que tienen esta costumbre, por lo menos le sacan al pastor local la posibilidad de predicar lo que se le ocurra a él cada domingo, sin haber un programa que unifique el mensaje en todo el mundo de dicha denominación. Pero me parece que aun las confesiones cristianas que utilizan un leccionario carecen de una programación pastoral que tome en cuenta cuáles son las necesidades pastorales en el momento histórico que viven nuestras congregaciones. No obstante, yo mismo reconozco que, sin el leccionario, jamás habría predicado sobre ciertos textos bíblicos por mi propia iniciativa. El leccionario ya es algo, pero no es suficiente. Confieso que jamás he predicado sobre el aborto; y he estado predicando, como pastor, desde junio de 1950. El aborto, provocado intencionalmente, no es abordado por ningún texto bíblico. ¿Cómo incluirlo en el leccionario? Lo mismo ocurre con el uso indebido de drogas, etc. De alguna manera debería articularse un compromiso pastoral de abordar determinados temas puntuales, que hacen a la problemática del cristiano de hoy, en determinados días, en todas las congregaciones del país. ¿Cómo lograrlo? No es fácil, pero quiero dejar el problema planteado. Dejo una inquietud; espero que otros puedan desarrollar la idea.

El púlpito es el vehículo principal, pero no el único. Debería crearse una programación del ministerio docente de la iglesia, más allá de los gustos de los pastores, que sea cumplida por todos los medios con que cuenta cada congregación local. Pensemos en la Escuela Dominical, las agrupaciones de jóvenes, hombres, mujeres, matrimonios, etc. El individualismo de la mayoría de los pastores conspira contra un ministerio docente coherente, integrado y programado inteligentemente. Muchas veces la iglesia ha perdido el tren. Se enfrenta con los problemas después que se ha presentado la tempestad; no ha sido capaz de ofrecer una pastoral preventiva. ¿Debemos permitir que el trabajo pastoral sea realizado a posteriori, cuando los creyentes hayan entrado en crisis? ¿O debemos procurar una pastoral esclarecedora, profiláctica, que involucre a toda la congregación, desde los niños hasta los ancianos?

El enfoque individual de la pastoral tradicional suele llegar tarde, como ocurre con algunos bomberos, que aparecen cuando el fuego ha consumido el edificio que pretendían salvar de las llamas. En la pastoral del aborto por lo general se llega tarde. Claro que no tenemos derecho a culpar a los pastores. Pensemos en el caso de Valeria y su novio. Estaban tan asustados que no se atrevieron a compartir su problema ni siquiera con sus respectivos padres. Mucho menos se atrevieron a pedir asesoramiento pastoral, aunque participaban del culto en una iglesia. La pregunta fundamental es la siguiente: ¿Por qué no tuvieron esperanza en que alguien pudiera ayudarlos en su soledad y desesperación? Es que la sexualidad suele ser tabú en algunas congregaciones. En algunas solo se la menciona como expresión de pecado.

¿Por qué será que muchos feligreses tienen miedo de acercarse a sus guías espirituales? Recuerdo a una joven que me dijo: «Mi pastor es tan espiritual que no podría comprender lo que me pasa a mí, que soy una persona común y corriente. Yo solo le pido que ore por mí».

La cosa se complica cuando una mujer embarazada viene al pastor a consultar sobre la posibilidad de abortar. En caso de tratarse de una joven soltera, en la mayoría de los casos, el varón no aparece. Pero también le suele ocurrir a las mujeres casadas. Es necesario reconocer que no es fácil encarar un problema así. Aquí no sirve para nada que el pastor se ocupe solo en condenar el pecado. Lo que cuenta es que hay un proceso que se ha iniciado; hay una vida que palpita en el vientre de una futura madre, y un problema que encarar.

Asesoramiento pastoral a la pareja

La iglesia debe ser una comunidad terapéutica en la cual las personas necesitadas puedan encontrar la orientación adecuada. Cuando se piensa en la posibilidad de un aborto, suele haber una gran confusión de sentimientos. La tarea pastoral debe crear una atmósfera de contención afectiva y espiritual para que las personas involucradas puedan encontrar la salida del laberinto donde se han metido. ¿Pero cómo se encuentra la salida del laberinto? No necesariamente con las palabras autoritarias del pastor. A veces, la prohibición se constituye en el motor de la mala acción. La tarea pastoral consiste en procurar que lo dejen entrar con «su linterna» en el «cuarto oscuro» de los otros, para iluminarles sus rincones que no pueden ver por sí mismos, para que, al verlos, ellos mismos puedan sacarse sus propias «telarañas».

Al darse cuenta de su realidad, de los beneficios y perjuicios de la situación en que se encuentran, puedan tomar la decisión más adecuada para ellos. En situaciones límites, muchas personas se bloquean y no son capaces de ver la solución de su problema, aunque esta esté al alcance de sus manos. La situación de estas personas se asemeja a alguien que se ha perdido en un bosque muy espeso. Tiene en sus manos un potente radio transmisor, puede hablar con personas que se encuentran a gran distancia, pero no puede informar dónde se encuentra. Pero si salen a buscarle en helicóptero, el piloto puede comunicarse, verlo desde arriba y decirle que camine 200 metros hacia la derecha y se encontrará fuera del bosque; que allí lo rescatará. Sin la indicación que viene de «arriba», el perdido podría caminar en dirección opuesta a la salida. La función del pastor es semejante a la de un piloto de un helicóptero de rescate.

Una vez vino a consultarme una mujer, miembro de mi congregación, sobre la posibilidad de hacerse un aborto. Venía de entrevistarse con un médico; la intervención había sido programada para el día siguiente, pero antes quiso conocer la opinión de su pastor. Sus argumentos parecían muy lógicos, tenía dos hijos grandes, tenía cuarenta años, había padecido una enfermedad que podría reactivarse y podría morir dejando a un hijo huérfano. Su marido no sabía nada, porque ella estaba convencida de que él se opondría al aborto. Cuarenta y cinco minutos de diálogo esclarecedor fueron suficientes para que esta madre llegara a la convicción de que realmente deseaba tener otro hijo. De la oficina pastoral fue directo a su hogar, a dar la noticia a su marido, y después al médico para cancelar el aborto. Claro, no siempre resulta tan fácil. Yo la conocía muy bien y eso facilitó las cosas. No tuve más que hacerle unas cuántas preguntas y se puso a llorar desconsoladamente. Entonces se admiraba de cómo ella podía haber planificado tal acción. Nació un varón que hoy tiene más de treinta años, gracias a Dios.

¿Una pastoral del feto?

Se suele hablar mucho sobre la responsabilidad pastoral de la iglesia para con aquellos que «no tienen voz», refiriéndose a los marginados sociales. Esto no está mal, pero también debemos enfatizar la responsabilidad pastoral hacia aquellos que, literalmente, todavía no tienen voz. Cuando el pastor asesora a una mujer que va a ser madre, sobre la opción entre la vida o la muerte de la criatura que tiene en su vientre, el pastor no se encuentra ante un feligrés, sino dos. Una tiene voz, y opina; el otro no puede hacerlo. Si el feto pudiera hablar, seguramente diría: «No me maten, por favor». En la entrevista pastoral que acabo de citar, entre las preguntas que le hice estuvo esta: «Usted me dice que tiene miedo a morir, ¿no ha pensado que su hijito también debe tener miedo a morir? Fue entonces que se puso a llorar.

La pastoral del feto es la lógica consecuencia de nuestra convicción de que, según las Sagradas Escrituras, el feto es un ser humano creado a imagen y semejanza de Dios. Cuando arribamos a esa conclusión no podemos aceptar el aborto. Por lo general, no se dice de un adulto que ha provenido de un niño. Más bien se suele decir que ese adulto una vez fue un niño, pero que ha crecido, ha madurado y ha llegado a ser lo que es hoy. Pero lo esencial de ese adulto estaba presente en él cuando solo era un niño, aunque sin desarrollarse por completo. Tampoco es común decir que el niño proviene de un feto, del embrión o del óvulo fecundado. Más bien deberíamos decir que el niño una vez fue feto, embrión, óvulo fecundado. Aun podemos decir: «Ahora él es una persona mayor, con mucho más desarrollo de lo que era en el momento de su concepción.

Hacia una pastoral comunitaria
sobre el aborto

En algunos casos la actividad pastoral se mantiene en el ámbito de un grupo reducido de personas. Por lo general, el pastor y la familia de la mujer embarazada. En otros casos la congregación toma posición frente al problema. Especialmente, en el caso de una joven soltera que quede embarazada, suelen surgir las actitudes más variadas. Muchas veces se acude al aborto como una forma de «evitar el escándalo». Si la joven quiere encarar su situación y tener su hijo, se verá expuesta a grandes tensiones. En todos los casos, la congregación local debería actuar como una comunidad terapéutica y redentora. No quiero decir que se debe aplaudir por lo acontecido. Sencillamente deseo aclarar que la orientación pastoral no debe funcionar en favor de la aprobación, ni tampoco de la condenación, sino de la comprensión. Eso es lo que sugiere San Pablo cuando dice:

Hermanos, si alguno fuere sorprendido en alguna falta, vosotros que sois espirituales, restauradle con espíritu de mansedumbre, considerándote a ti mismo, no sea que tú también seas tentado. (Gálatas 6.1)

La pastoral comunitaria, sobre el aborto, no debe ocuparse exclusivamente del esclarecimiento de la situación que conduzca a la decisión de continuar el embarazo. Debe incluir también preparación de la congregación para actuar como comunidad terapéutica, para que pueda recibir a una joven rechazada por su propia familia, ofreciéndole orientación cristiana y calor afectivo.

Es digna de destacar la tarea que realiza el Centro Ecuménico de Acción Social (C.E.A.S.), ubicado en Juan Bautista Alberdi 2236, Capital Federal, Tel. 613-7362. Este Centro se creó en el año 1969 y está desarrollando su programa materno-infantil desde 1979. Se trata de un organismo ecuménico que, según un folleto editado por la Institución, se dedica a lo siguiente:

[El CEAS] tiene como objetivo general sostener programas de promoción humana, dirigidos principalmente a personas en situación de desamparo, en particular la díada materno-intantil. Sus objetivos específicos son: a) que las madres y sus niños logren un estado nutricional adecuado, así como el control y atención de su salud, en la situación crítica que atraviesan; b) que las mujeres aprendan a criar y educar a sus niños, se capaciten laboralmente y se desenvuelvan autónoma y democráticamente en su vida social y cívica; c) que formen grupos solidarios para realizar actividades que les permitan solucionar sus problemas vitales; d) que las congregaciones y otros grupos e instituciones tomen conciencia de las injusticias de la sociedad y de sus causas, promoviendo acciones solidarias y transformaciones de esas situaciones.

El CEAS construyó cien casas en colaboración con la Municipalidad de Moreno, Provincia de Buenos Aires, entre 1989 y 1991, para ubicar a algunas de las nuevas madres ayudadas por la Institución. El CEAS está integrado por siete iglesias, de las llamadas históricas, que avalan su trabajo. Son ellas: La Iglesia Evangélica del Río de la Plata, la Evangélica Metodista Argentina, la Presbiteriana San Andrés, la Evangélica Luterana Unida, la Evangélica Valdense del Río de la Plata, la Anglicana Argentina y la Reformada Argentina.

La iglesia también debe ofrecer orientación para evitar embarazos no deseados. En este sentido, la iglesia Discípulos de Cristo ha sido pionera. La congregación de Villa Mitre, ubicada en Juan Agustín García No. 2044, Capital Federal, fundó en el año 1960, el Centro de Orientación para la Vida Familiar y Comunitaria (COVIFAC), el cual comenzó en el año 1965 un programa de planificación familiar. Los primeros grupos de mujeres atendidas por este programa, provenían de la comunidad educativa de la propia Institución. El trabajo asistencial era acompañado con charlas y asesoramiento en educación sexual, lo cual se ha mantenido hasta la actualidad, incorporando lo concerniente a la prevención del

Sida. En los últimos años, este programa ha sido dirigido especialmente a grupos de mujeres de los sectores poblacionales más carenciados. Estos encuentros con los grupos de mujeres sobre planificación familiar se realizan tanto en la sede de la Institución como en las propias comunidades de donde provienen las mismas («villas miseria» y «casas tomadas»). Como complemento de esta acción, funcionan en el Covifac los consultorios de tocología. Un médico y una médica ofrecen dos veces por semana, por separado, los servicios de atención en tocoginecología, en el marco del Programa de Planificación familiar. Además de asesorar sobre los diferentes métodos anticonceptivos a las mujeres que son atendidas, se les impulsa a efectuarse los análisis citológicos y se les ofrece, a las que así lo requieren, la colocación del dispositivo intrauterino (DIU). Han sido atendidas cinco mil doscientas mujeres a través de este servicio desde que comenzó a funcionar. Este Centro también ofrece ayuda psicológica y pastoral. Los datos precedentes han sido ofrecidos por las autoridades del Covifac.

Uno se pregunta: ¿Por qué solo dos instituciones evangélicas se ocupan de enfrentar una problemática tan grande como la de los embarazos no deseados, especialmente por su incapacidad económica para hacer frente a los gastos de traer niños al mundo, alimentarlos, cuidarlos y educarlos adecuadamente. Tenemos en Buenos Aires, que yo conozca, solo una institución para ocuparse de la prevención y otra para ayudar a las madres que no desean destruir las criaturas que llevan en sus vientres. Es evidente que la necesidad es mucho mayor. No tengo noticias de que existan fuera de Buenos Aires, instituciones similares. Esta triste realidad debe mover a la iglesia a un mayor compromiso con el ministerio pastoral integral.

A manera de conclusión
«Valeria: ¿Es una víctima inocente o es culpable?»

El lugar que le corresponde ocupar a la iglesia, en este mundo tan complejo en que vivimos, consiste, en mi opinión, en actuar como los brazos protectores de una buena madre. La gente sufre como nunca antes de soledad. Muchas personas necesitan contención afectiva, amor y comprensión, porque existe una terrible soledad en momentos en que se han desarrollado modernísimos medios de comunicación.

Si recordamos el caso de Valeria, salta a la vista su soledad. Según su propia confesión, su novio tenía más miedo que ella. Tuvo que ir sola. A determinada hora, en un lugar fijado previamente, Valeria debía encontrarse con una mujer que dijo ser enfermera. No faltó a la cita. En un automóvil fue conducida hasta un lugar desconocido. Entonces apareció la partera para hacer su trabajo. ¡Cuánta soledad!, y ¡cuánto peligro! Nadie sabía dónde ella se encontraba. Estaba en manos de personas desconocidas. Si hubiera muerto en el aborto, fácilmente habrían podido desaparecer el cadáver; y Valería habría pasado a engrosar la lista de personas desaparecidas en Argentina.

¿Por qué tanta soledad? Por la tiranía de las estructuras. En primer lugar, por las estructuras de una familia muy rígida. En segundo lugar, por sus propias estructuras psíquicas, bien culpógenas, producto de la familia de donde procedía. Y, en tercer lugar, por la rigidez de las estructuras eclesiásticas. Fue tanta la culpa que padeció, que se castigó con un cáncer de mama. Quiero señalar ocho puntos, que nos muestran los condicionamientos a los que Valeria estuvo sometida:

- La guerra es la máxima expresión del pecado. En ella, un hombre está obligado a matar a otro que no le ha hecho daño personal alguno, porque su gobierno lo ha reclutado y enviado a la guerra. Al soldado «enemigo», que tiene frente a él, le ha ocurrido lo mismo. Está en ese lugar en contra de su voluntad. Pero los dos están forzados a matar para no morir. Es la sangre del uno o del otro la que tiene que ser derramada. Ese es el terrible telón de fondo del drama de la vida de Valeria. Sus padres, siendo jóvenes, se vieron involucrados en la Segunda Guerra Mundial, estuvieron alojados en campos de prisioneros de los que lograron escapar.

Llegaron a la Argentina con toda la amargura de haberlo perdido todo, y de haber estado a punto de perder la vida. Valeria es víctima de la guerra antes de su existencia histórica.

- Estos padres, golpeados por los horrores de la guerra, no fueron capaces de ofrecerle a Valeria un hogar feliz. Se llevaban muy mal, y terminaron por separarse.

- Terribles problemas económicos la llevaron a sufrir mucho.

- No pudo obtener una orientación pastoral. Al nacer en Buenos Aires, se encontró en medio de una iglesia de inmigrantes que condenaba con mayor rudeza al pecador, que al pecado. Una iglesia que le producía temor. Una iglesia para santos, donde no había lugar para los pecadores. Una iglesia que preguntaba: «¿Qué haces?», y que no sabía preguntar: «¿Por qué lo haces?»

- El acto pecaminoso no debe ser analizado fuera de su contexto. Un cuadro donde aparece una mujer desnuda, puede ser una expresión de pornografía o de arte. Todo depende de la intención del pintor, de lo que pasa por la mente del que la ve, y de su capacidad para distinguir entre arte y pornografía.

- Dios dice: No matarás. Pero hay muchas maneras de matar. No es lo mismo matar en un accidente de tránsito, que matar deliberadamente a alguien, por odio o por placer. No es lo mismo matar a una persona para robarle, que matar en defensa propia.

- Dios dice: No matarás. Pero hay sistemas económicos que procuran que los ricos sean cada día más ricos, y más pobres los pobres. En estas condiciones, miles de niños mueren de hambre, o por falta de atención médica. ¿Quiénes son los culpables de esas muertes? ¿Quiénes son los pecadores? ¿Quién condena a estos pecadores? ¿Lo hace la iglesia?

- Recordemos el texto de San Juan 8. Todos condenaban a la pecadora. Pero todos eran pecadores. Cuando

Jesús escribió el nombre de los pecados de aquellos hombres, en el polvo de la tierra, levantó su rostro para decir: «El que de ustedes esté libre de pecado, arroje la primera piedra contra ella». Los que la condenaban se retiraron movidos por sus conciencias. Jesús y la mujer se quedaron solos. Al preguntarle por sus acusadores, la mujer no aprovechó la ocasión para proclamar su inocencia; no se defendió. Por el contrario, a través de la expresión de sus ojos imploraba el perdón. No hicieron lo mismo los acusadores, quienes se retiraron sin pedir perdón por sus pecados. Entonces surgen las tremendas palabras de Jesús, motivadas por el arrepentimiento que Él pudo leer en el lenguaje corporal de aquella mujer y por su gran amor por cada ser humano: «Ni yo te condeno, vete y no peques más».

Dejo en la mente y en el corazón de cada lector, el desafío a responder la pregunta: «Valeria: ¿Es una víctima inocente o es culpable?»

12

La función del pastor en el cuidado pastoral de la familia

Hemos llegado al último capítulo en nuestras reflexiones acerca del cuidado pastoral de la familia. En esta obra me he referido a la pastoral en su concepto más amplio. No me he limitado a la clerecía. Recuerdo la cara que puso el gerente de una editorial evangélica de Buenos Aires, un laico, cuando hace veintinueve años le presenté el título del libro que esperaba que me publicaran: *Psicología pastoral para todos los cristianos*. Un poco enojado me dijo: «Usted está equivocado, la pastoral es cuestión de los ministros ordenados de la iglesia, con este título parecería que usted pretende que cada cristiano sea un pastor». Después de esperar dos años recibí una carta de dos páginas, que todavía conservo, donde se me informaba que la editorial, que hoy ya no existe, había decidido no publicar mi libro. Una de las objeciones era el título.

A veces los cristianos debemos ser testarudos, cuando creemos que lo que hacemos es para bien de la obra de Dios. Por eso, edité el libro por mi cuenta, y con el título original apareció el día 25 de junio de 1971. Voy a reproducir algunas de las palabras con que introduje la primera edición:

> Reconocemos que existe un ministerio especial: llamado por Dios y ordenado por la iglesia. Sabemos que hay diversidad de dones, y que Dios llama a cada creyente a ejercer un ministerio particular dentro del contexto del ministerio de Jesucristo. Sabemos, además, que es el Espíritu Santo el que da vida al Cuerpo de Cristo, en el cual cada miembro tiene una operación diferente. Creemos,

sin embargo, que todos los cristianos somos llamados por Dios, a ejercer el ministerio del amor, y del servicio, pues seguimos al Señor que dio su vida por amor y vino para servir y no para ser servido. Por lo tanto, no existe ningún ministerio particular, que pueda llamarse cristiano, si en él no subyacen, como una dimensión de profundidad, el amor y la disposición al servicio. Podemos ser miembros, y aun empleados, de una organización religiosa, pero si no encarnamos el espíritu de Cristo de amor y de servicio, no estamos cumpliendo con nuestro ministerio.[1]

Estas palabras han sido conservadas en las nueve ediciones del libro que aparecieron después. Y aún hoy, sigo pensando que la pastoral no es el coto de caza de los ministros ordenados.

Estos conceptos referentes al ministerio a los que me he referido, con los adalides que Dios ha colocado en nuestras congregaciones, no pertenecen a mi creación. Creo que es mi deber develar su origen. En el Seminario Evangélico de Teología de Matanzas, en Cuba, recibí mucha inspiración espiritual y un gran desafío para realizar una profunda investigación teológica, de parte del entonces rector de la Institución, el Dr. Alfonso Rodríguez Hidalgo. Este hombre de Dios ha dejado una impronta en mi corazón pastoral, en mi formación teológica, y en mi producción literaria. Le doy gracias a Dios por su fecundo ministerio. Él fue llamado por Dios al ministerio siendo profesor de un colegio presbiteriano, en Cuba. Antes había pasado estoicamente por trece operaciones plásticas, destinadas a construirle un nuevo rostro, ya que el original fue destruido por la gangrena, en su infancia. De pequeño iba a la escuela con el rostro tapado; era un niño sin rostro. Pero a pesar de sus dificultades para hablar, Dios hizo de él uno de los mejores predicadores que he conocido. En este capítulo, dedicado a la función del pastor, lo presento como testimonio de lo que Dios puede hacer con un ser humano que se pone incondicionalmente en sus manos. Lo que cuenta, en mi opinión, es tener una vocación cristiana y un consecuente proyecto de vida. Todo lo que venga más allá de eso, ayuda a enriquecer el ministerio pastoral, pero no constituye su esencia.

Alfonso Rodríguez Hidalgo, de origen humilde, no se conformó con una licenciatura, obtuvo su doctorado en teología en el Seminario Presbiteriano de Princeton, Estados Unidos de América. Volvió a Cuba para hacerse cargo del rectorado del Seminario Evangélico de Teología, de Matanzas (S.E.T.), institución teológica fundada el 1º de octubre de 1946, por la iglesia metodista y la iglesia presbiteriana. Más tarde se unió al S.E.T. la iglesia protestante episcopal (anglicana).

Lo que deseo testimoniar es la influencia del Dr. Alfonso Rodríguez Hidalgo sobre mi ministerio. Que recuerde, ninguno de sus alumnos le llamamos jamás doctor, porque lo era. No es necesariamente docta toda persona que posea un título de doctor; ni ingenioso quien tenga un título de ingeniero. Él era más que un doctor. Para todos sus alumnos, era el maestro Alfonso. Porque realmente era un maestro, y lo fue, hasta que el Señor lo llamó a su presencia. *Quiero mencionar solo dos de las muchas ideas que él me dejó y que se encuentran en los fundamentos del título y del desarrollo de mi libro Psicología pastoral para todos los cristianos.* Veámoslas:

En primer lugar, él nos enseñaba que una congregación local no debería estar centrada en el pastor porque la iglesia es un movimiento más que una institución. Para lograr este objetivo, el pastor, decía el maestro Alfonso: «Debe aprender a conjugar muy bien tres verbos: organizar, delegar y supervisar». Quería decir que el pastor debería involucrar en el ministerio de la iglesia al mayor número de creyentes que fuera posible. Es decir, poner responsabilidades en sus manos y supervisar el ministerio realizado por los laicos.

La segunda idea es una ilustración que aclara la primera. Nos decía el maestro Alfonso: «El pastor no debe pretender ser el hombre orquesta, sino el director de la orquesta». Existían, entonces en Cuba, unos personajes que aparecían en los lugares públicos para ofrecer una especie de concierto. Tocaban al mismo tiempo varios instrumentos: Guitarra, tambor, etc. Pero era imposible que pudieran tocarlos todos bien. Lo que a estos sujetos les interesaba era pasar el sombrero al final de su presentación, para recibir algunas monedas. Eso es lo que no debe hacer el pastor. Por el contrario, decía el maestro Alfonso: «El pastor debe capacitar al mayor número de laicos que le sea posible, para que cada uno toque muy bien el instrumento que Dios le llama a tocar. La tarea del pastor es dirigirlos para que puedan tocar todos juntos, en armonía. Solo así se puede producir una buena sinfonía para la gloria de Dios».

Cuando uno se está poniendo viejo, se puede tomar ciertas licencias para referirse al ayer. Debo mencionar que *mi libro Psicología pastoral para todos los cristianos*, que dicho sea de paso es la primera obra de esa especialidad escrita por un autor de habla hispana, está basada en la tesis que escribí para el Seminario de Matanzas, bajo la dirección del Dr. René Castellanos, mi profesor de lo que entonces llamaban: «Pastoral Counseling». El doctor Castellanos me motivó para que siguiera investigando en el campo psicológico pastoral, porque según me dijo, creía que yo tenía aptitudes para ese tipo de ministerio. Este hermano, al momento de escribir estas líneas, es aún profesor de Psicología Pastoral en el Seminario de Matanzas y también pastor de la iglesia presbiteriana. ¿No es justo que haya dedicado esta obra a estos dos grandes hombres de Dios? Dedico también este libro al Seminario Evangélico de Teología de Matanzas, Cuba, del cual tuve el privilegio de ser alumno, profesor y rector, el cual cumplió cincuenta años de fecunda labor de formación teológica el 1º de octubre de 1996.

La función pastoral y los principios de su poder

La investidura pastoral implica un poder que puede ser bien o mal utilizado. Los creyentes suelen atribuir al pastor cualidades y aptitudes que este, por lo general, no tiene. En mi libro: *Hacia una psicología pastoral para los años 2000*, aparecido en mayo de 1996, me refiero al síndrome de Listra[2] que se actualiza cada día. Al pastor se le atribuyen cualidades de las cuales carece, y cuando este las rechaza, como en el caso de Pablo en la ciudad de Listra, o cuando los creyentes descubren que su pastor es un impostor porque aceptó como válido algo que no lo era, entonces lo desprecian. El ego del pastor puede ser su mayor enemigo, o su mejor amigo, cuando este es «manso y humilde de corazón». La investidura pastoral implica un poder, pero un poder peligroso que puede dañar tanto al propio pastor, como a su congregación. Es en ese contexto que, en el libro que acabo de mencionar, hago una afirmación que ahora reitero: «No existen más tensiones psicológicas en el pastor que las que él mismo genera».[3] Solo un pastor que carece de madurez emocional y espiritual se deja endiosar por una congregación, o por una parte de ella. Sobre todo cuando comienzan a hablar mal del pastor anterior, y el nuevo lo toma como un halago a su persona. Mi experiencia me dice que en pocos años le contarán las mismas cosas a su sucesor. Todo pastor debe recordar que cualquier mancha que caiga sobre otro pastor, lo salpica a él y a sus colegas, porque lo que está en juego, no es lo personal, sino la investidura pastoral. En ninguna manera quiero decir que los pastores debemos convertirnos en defensores del «gremio pastoral». El pecado es pecado no importa quién lo cometa. Pero, si bien debemos odiar al pecado, debemos amar al pecador. Las personas que gozan, morbosamente, contando detalles y anécdotas, son tan pecadores como los que cometieron el pecado condenado. En mi experiencia pastoral, cuando me han hablado mal de mi predecesor en el pastorado de una congregación, he invitado al acusador a tener un encuentro con el pastor cuestionado en mi presencia, para conversar sobre el tema de referencia. En todos los casos, los acusadores se han negado a hacerlo. Entonces les he invitado a orar tanto por el pastor aludido, como por los hermanos que han echado a rodar comentarios que no pueden sostener frente al ministro de Dios que ellos acusan, a sus espaldas.

Además de la investidura que la iglesia otorga, hay otros factores que determinan que un pastor, o la pastora, tenga un poder especial que puede ser bien o mal utilizado. Dondequiera que haya una persona acerca de la cual algunos crean que tiene un conocimiento especial sobre Dios, o que por algún don específico que Dios le haya concedido tiene una manera especial de comunicarse con Él, tal creencia se constituirá en fuente de poder que la persona en cuestión podrá ejercer sobre aquellos que lo creen. Luego, existen dos tipos de investidura pastoral:

- La formal, la que le concede la institución eclesiástica a la cual pertenece.
- La informal, que procede del respeto y el reconocimiento que los feligreses tengan de él, o de ella, como pastor o pastora.

La impostura, tanto de parte de quien ejerce el ministerio pastoral, como de los dirigentes laicos, crea desilusión y a veces dudas en muchos cristianos. Un pastor me contó que sorprendió a un miembro de su congregación aplicándose una inyección en el baño de su iglesia. Cuando le preguntó si era drogadicto, el hermano contestó: «No hermano, por favor, no vaya a creer eso de mí, no soy drogadicto, solo me inyecto insulina por causa de mi diabetes». Esta confesión llenó de consternación a este pastor, quien había escuchado, por lo menos doce veces en congregaciones diferentes, el testimonio de este hermano acerca de cómo Dios le había curado la diabetes por la oración del hermano X. Lo que ese feligrés ha estado haciendo se llama sencillamente *impostura*. Algunas personas actúan como impostores para ganar prestigio, para alimentar su ego; y esas actitudes tienen un solo nombre: *pecado*. Este fenómeno no es exclusivo de la iglesia; hay espiritistas, modernos chamanes y charlatanes, que sacan provecho del poder que la gente les atribuye. Lo triste, es que algunos pastores han caído en la tentación de sacar provecho de estos fenómenos psicológicos que se dan en nuestra cultura. Algunas familias se han dividido por desacuerdos surgidos por causa de interpretaciones diferentes de fenómenos que son atribuidos por unos a Dios, y por otros, a Satanás.

Es cierto que hay una investidura que otorga la iglesia; es cierto que hay poder y dones que otorga el Señor, pero ¿cómo distinguir la verdad de la mentira? ¿Cómo separar la autenticidad de la impostura? ¿Cómo separar la cizaña del trigo? El Señor nos dice con claridad: «Por sus frutos los conoceréis» (San Mateo 7.16). El poder espiritual del pastor, para ser auténtico tiene que estar avalado por el fruto del Espíritu Santo que, según la versión *Dios habla hoy*, es: «Amor, alegría, paz, paciencia, amabilidad, bondad, fidelidad humildad y dominio propio» (Gálatas 5.22). El fruto del Espíritu Santo consiste en poseer todas esas virtudes juntas, no en tener alguna de ellas. En griego no dice los frutos, sino *ho karpós*, o sea, «el fruto», en singular. Por el contrario, cuando se refiere a las obras de la carne, dice *ta erga*, o sea, «las obras», en plural.

Los principios del poder del pastor deben ser solo aquellos que proceden del amor, y esto es válido para los dones carismáticos. Para San Pablo, el amor es el «camino más excelente» cuando trata el asunto en 1 Corintios capítulos 12, 13 y 14. El pastor que desee cumplir el ministerio de cuidar pastoralmente a la familia mayor, la iglesia, y también a la familia nuclear, y a la extendida, debe sentir un gran amor hacia Dios en correspondencia con el sublime amor con que Dios le ama en Cristo, que hace posible su salvación personal.

El amor de Dios lo mueve a llamar a algunos seres humanos, hombres o mujeres, al santo ministerio. Ese llamado tiene objetivos. Estos no son halagos para la vanidad de algunos para que se sientan «siervos o siervas del Señor». La vocación cristiana implica un proyecto cristiano de vida. Significa un llamado al sacrificio y al servicio al prójimo como consecuencia de una experiencia transformadora de comunión con Dios. Jesucristo dio su sangre en la cruz para hacer posible la salvación de los hombres, no para halagar a los vanidosos.

El pastor debe ser un guía espiritual; su congregación espera que lo sea. Los tiempos han cambiado. Ahora hay personas, dentro y fuera de la iglesia, que desconfían de algunos pastores. Unos cuantos años atrás esto no ocurría; el título de pastor evangélico era una garantía de honestidad; hoy no lo es tanto. La gente quiere conocer a la persona antes de reconocerla como pastor. Parecería que la investidura pastoral informal se gana con las rodillas y la conducta, y no solo con el aval de una Institución, si se tiene. Muchas personas suelen poner mayor atención a lo que el pastor hace, que a lo que dice. Los principios del poder que implica el pastorado pueden estar siendo mal utilizados. Los futuros ministros del evangelio tienen que tomar muy en cuenta que no están estudiando una carrera, sino cumpliendo una vocación, palabra esta que no siempre es bien comprendida. La vocación al ministerio cristiano en un llamado de Dios y no la elección del candidato. Pero hay personas que entran al ministerio como un medio de obtener prestigio y poder. Este pecado no es nuevo. Recuerdo una experiencia que viví, en los comienzos de la década de los 60, cuando era rector del Seminario Evangélico de Teología de Matanzas. Una noche escuché una gran discusión entre estudiantes. Como había uno que levantaba demasiado la voz, me acerqué para saber qué les apasionaba tanto. Me quedé muy impresionado por lo que escuché. Un estudiante, de baja estatura, se agrandaba diciendo a viva voz: «En la iglesia mando yo». Los estudiantes no me habían visto, y de pronto intervine diciéndole al acalorado estudiante: «Acabo de escuchar algo nuevo. No sabía que la iglesia fuera un ejército donde unos mandan y otros obedecen. Por favor, fulano, venga mañana a mi oficina porque deseo que me explique esa nueva concepción eclesiológica». Afortunadamente, esta persona salió del ministerio cristiano.

Al parecer la situación del ministerio de hoy es más grave. Me he quedado sorprendido por el artículo firmado por los pastores Pablo A. Deiros y Carlos Mraida, en *Puente Confidencial*, titulado: «Clínica para superhéroes».[4] Este es un material confidencial que se envía solo a los pastores, pero entiendo que este libro de texto va a ser utilizado solo por personas que esperan servir en el ministerio cristiano, y que no será vendido en librerías. Luego es importante que tomen nota de la situación tan grave que plantean estos dos pastores bautistas. Dicen:

> Si los creyentes pudieran leer el corazón de sus pastores y conocer las experiencias traumáticas y los dolores y heridas que no están resueltas en su ser interior, se sorprenderían o se refugiarían en la incredulidad ... cuando la experiencia clínica pone en evidencia que el ochenta por ciento, o más, de los pastores evangélicos tienen conflictos no resueltos y heridas interiores no sanadas, uno se da cuenta de cuán importante es abordar esta cuestión.[5]

¿Es exagerado este diagnóstico? Estos hermanos afirman que en años recientes han ministrado pastoralmente a cientos de pastores evangélicos, tanto en Argentina como en otros países. Yo no he atendido, psicoterapéuticamente, a cientos de pastores, pero he tenido en tratamiento a un buen número de ellos, los cuales pertenecen a las más diversas denominaciones evangélicas. También conozco a muchos pastores que parecen tener un buen nivel de salud física, mental y espiritual. Si fuera posible tener estadísticas veraces a nivel latinoamericano, y si estas coincidieran con los datos ofrecidos por los pastores Deiros y Mraida, el ministerio pastoral estaría en una situación catastrófica. Por otro lado, tanto ellos como yo, podemos hablar acerca de un pequeño número de pastores atendidos. Carezco de elementos objetivos para argumentar, a favor o en contra, de lo que afirman estos dos colegas. Sin embargo, reconozco que el material que nos ofrecen, puede ser el punto de partida para una profunda investigación. Además, puede resultar el motivador de un diólogo serio y un gran desafío.

Coincido con Deiros y con Mraida en la preocupación porque se cuide pastoralmente a los pastores. Debemos recordar que cada sacerdote católico tiene su propio confesor, alguien que lo escuche y que esté obligado a guardar el secreto de confesión. De esta manera, el sacerdote católico puede descargar la angustia que le producen sus dudas y sus culpas. Además, como puede escoger a su confesor, se supone que procurará la ayuda de alguien que sea, a la vez, piadoso y sensato. Es decir, alguien capaz de guiarlo pastoralmente. Por el contrario, el pastor evangélico está completamente solo. Pueden orar y pedir el perdón divino, pero como ser humano necesita comunicarse con un semejante. El escucharse hablar con alguien ya es terapéutico. Algunos de los pastores que he atendido vinieron con una angustia muy grande, a veces después de años de guardar un secreto, que en ocasiones no era tan grave. La soledad agrava el síntoma y el sentimiento de culpa acerca de lo que se ha dicho o hecho, y hasta de lo que se ha pensado hacer y nunca se concretó. Creo que a la mayoría de los pastores evangélicos les cuesta mucho hablar acerca de su vida privada, cuando no es para alabarse a sí mismos. No pueden sincerarse con sus congregaciones por temor a ser despedidos. Temen hacerlo con un colega de su propia denominación por los «celos profesionales». Una vez un pastor me dijo: «Pensé que si le contaba mi problema a un colega de mi denominación, este podría aprovechar mi secreto para sacarme el puesto». A otros les cuesta procurar la ayuda de un pastor de otra confesión cristiana, por el orgullo denominacional. «¿Qué va pensar este de nosotros?» Recuerdo el caso de un pastor que fue a contarle su problema a un cura, por cuestión de seguridad. Hizo la cola en el confesionario y, a su turno, comenzó diciendo: «Yo no creo en la confesión, tampoco creo que usted pueda perdonarme mis pecados, pero estoy muy angustiado y no aguanto más; soy un pastor evangélico». Para su sorpresa, el cura, después de escucharlo un largo rato, le sugirió que debía acudir a dos personas: A un pastor evangélico que fuera capaz de comprenderlo, y a un psicólogo cristiano, porque algunos de sus problemas no eran cuestión de fe, sino de conflictos psicológicos. ¡Qué sorpresas que tiene la vida! Finalmente, quiero señalar que son muchos los pastores que están dándose cuenta del problema de la soledad en que viven algunos de sus colegas, y aun ellos mismos. Es muy positivo el hecho de que el Consejo de pastores evangélicos de la ciudad de Buenos Aires, haya creado una Comisión de Asistencia Pastoral a los Pastores. Espero que este esfuerzo produzca buenos resultados.

El pastor cuidando a la familia

Hemos visto, a lo largo de esta obra, *Psicología pastoral para la familia*, como responsabilidad de toda la iglesia, especialmente de los padres. Ahora nos toca reflexionar sobre el lugar que debe ocupar el pastor en esta importante tarea. La iglesia es la familia de Dios, y en ella el pastor cumple un ministerio parte, como se dice en la ceremonia de casamiento que utilizan varias denominaciones evangélicas:

La familia es el fundamento de toda la sociedad humana. Por lo tanto, el matrimonio no debe ser contraído por ninguno inconsideradamente, sino con reverencia y discreción, y en el amor de Dios.[6]

La función pastoral en la familia grande

Al principio de este curso me he referido a las estructuras que caracterizan a las familias: Aglutinadas y esquizoides o dispersas; y también hemos constatado la realidad de que cada sujeto tiene su propia y singular estructura psíquica. Las personas que integran una congregación, forman un conglomerado donde están presentes las más diversas estructuras familiares y personales. Si se tiene en cuenta que las estructuras no suelen venir puras, sino mezcladas, podemos imaginar la diversidad de estructuras que podemos encontrar en una congregación, tanto en opiniones, como en expresiones culturales. En la parábola del Sembrador, el Señor nos presenta cuatro tipos básicos de estructuras de personalidad. El último, el del buen terreno, pone en evidencia que hay subestructuras dentro de cada estructura. La diversidad de «terrenos» se pone en evidencia por las diferencias en la producción de fruto: «Pero parte cayó en buena tierra, y dio fruto, cuál a ciento, cuál a sesenta, y cuál a treinta por uno» (San Mateo 13.8). Para estimular la imaginación del lector de cuán compleja puede ser una congregación en su diversidad, le recuerdo que podemos comunicarnos telefónicamente con millones de personas utilizando solo diez números en combinaciones diferentes. Recordemos que San Pablo no pretende la uniformidad, es decir, que exista una sola manera de expresar la fe cristiana. Por el contrario insiste en la diversidad de dones y la necesidad de lograr la unidad dentro de la diversidad que hay en cada comunidad de fe. (Cf. 1 Corintios caps. 12,13,14, Efesios 4, etc.)

Por lo antes dicho, es lógico suponer que en cualquier congregación local haya psico-grupos y socio-grupos. También es muy común que surjan luchas internas por el poder, entre grupos. No por el poder del Espíritu Santo, sino del poder social y psicológico en la congregación. La primera responsabilidad del pastor, en este campo, es intentar suavizar su propio deseo de poder. He encontrado, no sin sorpresa, que un teólogo fundamentalista protestante, el noruego Edin Lövas, y un católico brasileño, teólogo de la liberación, Leonardo Boff, han arribado, sin comunicarse entre sí, a ciertas coincidencias sobre lo destructivo que resulta para la iglesia el mal uso del poder. En otra publicación he dedicado varias páginas a este asunto.[7] Ahora solo quiero recomendar la lectura tanto del libro de Lövas,[8] como el de Boff.[9]

He introducido los términos, psico-grupo y socio-grupo. Estos parecerían ser neologismos, pero expresan una realidad muy vieja, tan vieja que ya aparece en el Nuevo Testamento. Se trata de la formación de grupos pequeños, dentro de una congregación bajo la conducción de un líder fuerte, a veces integrados por familias y sus amigos que pugnan por el poder dentro de una misma comunidad de fe. En Cuba, por lo menos hace treinta años, a estos grupos se les solía llamar «piñas». No sé si los cubanos continúan utilizando ese nombre. Pero en la Argentina, a estos grupos algunos le dan el nombre vulgar de «trenzas». En ocasiones, el pastor que no sepa «transar con la trenza» que detenta el poder, no dura mucho en el puesto.

¿Cuál es la diferencia entre estos grupos? Veamos. El psico-grupo se forma en torno a estructuras psíquicas similares. Son creyentes que se entienden muy bien entre ellos, porque sus estructuras tienen cierta similitud. Se sienten muy a gusto juntos. No es necesario que sean parientes. A veces encontramos miembros de una misma familia en diferentes psico-grupos. Por supuesto, ninguno de ellos es consciente de que existe una misteriosa fuerza psicológica que los mueve a acercarse unos a otros. Lo inconsciente existe e insiste. Este fenómeno no siempre resulta negativo. A veces grupos de este tipo, cuando sus miembros tienen una fe sólida y humildemente se someten a la voluntad de Dios, pueden ser una gran bendición. Pero cuando este conglomerado atraído por fuerzas inconscientes no está constituido por hermanos que realmente buscan el poder del Espíritu Santo, sino su propio poder, pueden tener consecuencias catastróficas para la iglesia. Sería cuestión de convertir la parte inconsciente de cada creyente. ¿Cómo hacerlo? Ese es el gran problema que ha me ha preocupado desde hace muchos años. Lo expresé desde la primera edición de mi libro *Psicología pastoral para todos los cristianos*, en el segundo capítulo.

Los socio-grupos no son tan inconscientes, aunque algunos podrían serlo. Están integrados por personas que tienen intereses comunes. Generalmente constituyen un grupo de familias enlazadas entre sí por vínculos matrimoniales, formados en el seno de la misma congregación, por los que ayer eran los jóvenes de esa comunidad de fe. Los hijos de estos matrimonios ocupan ahora ese lugar. Una hermano nuevo en una congregación me dijo: «Me he dado cuenta de que en esta iglesia no se puede hablar mal de nadie porque todos son parientes». Le respondí que eso era muy positivo, porque ningún cristiano debe hablar mal de otro cristiano, a sus espaldas. Luego la estructura de esa iglesia le impedía pecar. Este tipo de estructura congregacional no está mal, excepto cuando la fidelidad al Señor flaquea, y el deseo de poder convierte a algunos en idólatras. Recuerdo lo que me dijo una persona que pertenecía a una congregación en cuya estructura eclesiástica había una Junta Directiva, designada anualmente por la asamblea general de creyentes. La congregación estaba integrada, mayoritariamente, por familias, enlazadas entre sí por parentesco. Veamos a continuación el mal uso de un socio-grupo, contado por un hermano ajeno al grupo dominante de su congregación:

A pesar de ser nuevo, ese año en la Asamblea me eligieron miembro de la Junta Directiva y me sentía muy contento. Un día me invitaron a comer un asado en la quinta de uno de los líderes de la iglesia. Allí me puse a discutir con un hermano, sobre un tema que teníamos que considerar en la Junta Directiva la semana siguiente. La discusión subió un poco de tono; el hermano se enojó y me dijo que no valía la pena seguir discutiendo porque, «en fin de cuentas nosotros somos la mayoría en la Junta».

Mi informante cerró la boca, y comenzó a preguntarse: ¿Qué quiere decir este hermano cuando se refiere a: «nosotros»? Lo supo el día de la reunión de la Junta. Todos los que estuvieron en el asado, menos él, votaron en contra del proyecto que habían presentado creyentes que no pertenecían al socio-grupo. Alguien se preguntará por qué no llamo a este conglomerado familias-grupo. Por la sencilla razón de que no siempre es el vínculo familiar el que reúne al grupo. A veces el conglomerado está constituido por personas que tienen intereses socio-económicos y culturales similares.

En mi opinión, estos fenómenos de «iglesitas» dentro de la iglesia, se expresa en todo tipo de estructura eclesiástica, aunque con matices diferentes. En el pueblo evangélico tenemos denominaciones con estructura ecleasiástica verticalista y también las tenemos horizontalistas. Las primeras están centradas en la autoridad del pastor como siervo del Señor. A veces casi se lo reconoce como su representante. En otras la autoridad máxima está en la congregación local, quien puede elegir o despedir a un pastor. También existen posiciones intermedias entre estos dos extremos.

Hay algunas denominaciones que insisten en que su estructura eclesiástica está copiada del Nuevo Testamento. Si así fuere, coincidirían entre sí todas las denominaciones que opinen de esa manera. Lamentablemente eso no ocurre. ¿Por qué? Por una sencilla razón; porque se manejan con hermenéuticas diferentes. No es fácil lograr un acuerdo. Solo el amor y el respeto mutuo nos permitirá aceptarnos como hermanos, aun teniendo estructuras eclesiásticas diferentes. Por supuesto, es imposible evitar que muchos sigan pensando «secretamente» que la estructura de su denominación es la única «verdaderamente bíblica».

¿Qué nos diría San Pablo si el Señor lo resucitara hoy? Yo no lo sé, pero tenemos lo que nos dejó escrito que, por supuesto, puede ser interpretado de formas diferentes. Debemos reconocer que no existe una exégesis ni una hermenéutica que sean químicamente puras. Yo no pretendo que mi opinión sea la verdad absoluta. Pero tengo el derecho a dar mi opinión, y trato de hacerlo con humildad.

San Pablo presenta la horizontalidad como el ideal de la estructura eclesiástica, y lo hace mediante la imagen de la iglesia Cuerpo de Cristo. (Cf. Romanos 12 y 1 Corintios 12.) En muchos textos del Nuevo Testamento encontramos socio-grupos y psico-grupos. Estos eran muy activos en la congregación de Corinto. Es mi opinión que la presencia de estos grupos condujo a Pablo a reformar la imagen de la iglesia Cuerpo de Cristo en dos epístolas posteriores: Efesios y Colosenses. En estas cartas, llamadas «de la cautividad», San Pablo añade el concepto de *kefalé* (cabeza). Con este concepto, el Apóstol incluye la verticalidad en la horizontalidad. Pero la cabeza es Cristo, no el pastor, ni el jefe de una «trenza». Tampoco debemos olvidar que la verticalidad y la horizontalidad, al encontrarse, forman una cruz, símbolo de la redención, del perdón de nuestros pecados. Pero esto ocurre solo si verdaderamente nos hemos arrepentido de nuestros pecados, y si verdaderamente hemos aceptado a Jesucristo como nuestro Señor, Salvador y Maestro.

Cuando falta la fidelidad a Cristo, y la sumisión al poder del Espíritu Santo, siempre existirán peligros de que se haga mal uso del poder en todas las estructuras eclesiásticas. En dos de los verbos que recomendaba el maestro Alfonso a los futuros pastores, «organizar» y «supervisar», aparece el reconocimiento a la investidura pastoral. En el otro, «delegar», aparece el reconocimiento a la horizontalidad, al ministerio de toda la iglesia.

La función pastoral en la familia extendida

Desearía poder presentar un mensaje optimista a los futuros líderes de la iglesia sobre esta función. Desde que comencé mi ministerio, a los veinte años, he sido incansable en mi trabajo con la familia. Ahora que camino hacia el cumplimiento de sesenta y siete años de vida, debo confesar que he sido un poco omnipotente. Que confié mucho en mis posibilidades como hombre llamado por Dios, ordenado por la iglesia y bien capacitado en los misterios de Dios (teología) y en los misterios del hombre (psicología). Al igual que le ocurre a los que, sin darse cuenta, forman parte de un socio-grupo, o de un psico-grupo, nosotros los pastores, también sin darnos cuenta, podemos pecar de omnipotentes. Hacemos el trabajo con mucho vigor y entusiasmo, el Señor lo bendice, y nos creemos que el fruto que se ha cosechado es el producto de nuestro trabajo. Debo reconocer que he fracasado muchas veces intentando unir familias, donde algunos de sus miembros se habían enfrentado entre sí. Tarde o temprano, la frustración es la cosecha de la omnipotencia. En un salmo atribuido al rey Salomón, escrito durante la construcción del templo de Jerusalén, el rey reconoce que todo éxito humano depende de la actuación divina, dice: «Si Jehová no edificare la casa, en vano trabajan los que la edifican» (Salmo 127.1) Creo que esta afirmación es todavía más válida para la construcción de una iglesia del Señor (es decir, una comunidad de fe en Jesucristo), que para la edificación de un edificio, de un templo. Lo que siempre podemos y debemos hacer, es orar mucho para que el Señor haga lo que nosotros no podemos hacer.

La función pastoral en la familia nuclear

Este tema ha sido tratado, parcialmente, al comienzo de esta obra. Nos ha faltado reflexionar sobre el desgarro que el divorcio produce en la familia nuclear. Aunque debemos reconocer que, en algunos casos, el divorcio es el mal menor para la preservación de los valores humanos. Tampoco hemos tomado en consideración la problemática del propio hogar pastoral. No puedo reproducir aquí un capítulo titulado: «Tensiones en la familia pastoral», publicado en otra obra.[10] Años atrás, ni siquiera se podía pensar en la posibilidad de que una persona casada, en segundas nupcias, fuera aceptada como pastor, o pastora, de una congregación. Las cosas han cambiado mucho, en unos países más que en otros; en unas denominaciones más que en otras. Este es un tema en que no hay unanimidad de criterio en las iglesias. Algunos dirigentes eclesiásticos insisten en que cuando alguien se casa, ha hecho un compromiso con su cónyuge, ante Dios, y que este debe cumplirse hasta que la muerte los separe. Otros cristianos se preguntan: «¿Es preferible mantener, como una obra de teatro, una estructura matrimonial muerta durante una larga vida, en lugar de vivir el amor en una nueva relación?» Es evidente que resulta difícil lograr un consenso entre estas dos posiciones antagónicas. Los católicos, que no aceptan el divorcio, anulan el matrimonio anterior, y entonces se produce el nuevo casamiento, que es el bueno, el verdadero. La iglesia que fundó San Pablo, la que se conoce como Ortodoxa, o sea, «la de la sana o correcta doctrina», acepta el divorcio y el segundo casamiento. Así lo reconoce el historiador y pastor bautista Dr. Marcos

Antonio Ramos, quien ha realizado un concienzudo estudio de la posición de las diferentes confesiones cristianas con relación al divorcio y al segundo casamiento.[11]

El Dr. Jorge E. Maldonado es el editor de una excelente obra sobre la familia.[12] En los dos últimos capítulos se refiere a dos opiniones eclesiásticas sobre el divorcio. En el noveno capítulo, titulado: «El divorcio y las iglesias evangélicas», aparece la posición oficial de la Alianza Evangélica Española.[13] El décimo capítulo, titulado: «Hacia una pastoral evangélica del matrimonio», publicó la mayor parte del documento oficial de la Iglesia Evangélica Metodista Argentina,[14] aprobado por unanimidad en el transcurso de la IX Asamblea General de dicha iglesia, celebrada entre el 10 y el 13 de octubre de 1985, en el Colegio Ward, Ramos Mejía, Provincia de Buenos Aires.

Para los que no tengan acceso al libro del Dr. Maldonado, reproduzco solo un párrafo del documento oficial de la Iglesia Evangélica Metodista Argentina, que consta de veintidós páginas:

> En cuanto a la situación de pastores separados, vueltos a casar, o en pareja con una persona divorciada, consideramos que la actitud de la iglesia debe seguir los lineamientos mencionados, por ser el pastor ante todo un miembro de la iglesia. Pero dadas las circunstancias mencionadas, consideramos importante distinguir entre el interés pastoral y su específico rol dentro de la comunidad de fe. Por lo tanto, en cuanto esto último, será el Consejo General de Ministerio y Designaciones el que decida acerca de la ordenación o permanencia de un ministro tomando en cuenta su situación particular.[15]

En mi experiencia pastoral, siempre he tratado de ayudar a los matrimonios en conflicto a encontrar una solución que sea adecuada y justa para cada uno. Lamentablemente, no siempre se puede lograr ese objetivo. En algunos casos, el divorcio es el mal menor. Seguir viviendo juntos, sin amarse y en permanente tensión, en mi opinión, no tiene sentido alguno.

Referencias bibliográficas

1. J.A. León, *Psicología pastoral para todos los cristianos*, primera edición del autor, Buenos Aires, 1971, p. 11. A partir de la cuarta reimpresión la obra se confió a la Editorial Caribe, de Miami, EE.UU.

2. J.A. León, *Hacia una Psicología pastoral para los años 2000*, Editorial Caribe, Miami, 1996, pp. 185-87.

3. *Ibid.*, p. 186.

4. P.A. Deiros y C. Mraida, «Clínica para superhéroes», *El Puente Confidencial* (exclusivamente para pastores y líderes), Buenos Aires, enero de 1966, pp. 1-14.

5. *Ibid.*, p. 2.

6. *Manual del Culto y Ritual de la Iglesia Metodista*, Buenos Aires, Imprenta Metodista, 1959, p. 179.

7. J.A. Leon, *Hacia una psicología pastoral para los años 2000*, pp. 192-195.

8. E. Lövas, *Dictadores espirituales: El abuso del poder en la iglesia*, (versión española), Editorial Clie, Barcelona, 1981.

9. L. Boff, *Iglesia, carisma y poder*, (versión española), Sal Terrae, Santander, España, 1982.

10. J.A. León, *op. cit.*, pp. 201-221.

11. M.A. Ramos, *La pastoral del divorcio en la historia de la iglesia*, Editorial Caribe, Miami, 1988, p. 93.

12. J.E. Maldonado, editor, *Fundamentos Bíblicos Teológicos del Matrimonio y la Familia*, Nueva Creación, Buenos Aires; Grand Rapids y William B. Eerdmans Publishing Company, 1995.

13. *Ibid.*, pp. 175-192.

14. *Ibid.*, pp. 193-203.

15. «Matrimonio y divorcio, una perspectiva metodista», documento aprobado por la IX Asamblea de la Iglesia Evangélica Metodista Argentina, Suplemento Especial de *El Estandarte Evangélico*, Buenos Aires, agosto de 1986, p. 20.

El autor

El Dr. Jorge A. León nació en Cuba el 23 de abril de 1930, en una familia campesina, catolicorromana. Se convirtió el 2 de octubre de 1946. Obtuvo su bachillerato en teología en el Seminario Evangélico de Teología de Matanzas, Cuba, su doctorado en filosofía en la Universidad de La Habana (especializándose en Psicología), su doctorado en teología en la Facultad Protestante de Teología de Montpellier, Francia, y su posgrado en psicoanálisis en la Universidad Argentina John F. Kennedy de Buenos Aires. En 1950, con solo veinte años, comenzó su ministerio en la Iglesia Metodista. Durante su largo recorrido ha sido casi simultáneamente pastor, profesor de seminarios, de una universidad y también psicoanalista. Ha dictado conferencias sobre temas de su especialidad en muchos países de América Latina, Estados Unidos y Europa. Actualmente es pastor de la congregación de Liniers, de la Iglesia Evangélica Metodista Argentina, Capital Federal. Es, además, miembro de la Fraternidad Teológica Latinoamericana (F.T.L.) y de la Sociedad Argentina de Escritores (S.A.D.E.). Además de haber producido muchos artículos para revistas, es autor de los siguientes libros:

Psicología pastoral para todos los cristianos
Psicología pastoral de la Iglesia
Psicología de la experiencia religiosa
Lo que todos debemos saber sobre la homosexualidad
Problemática sicológica de los solteros
Teología de la unidad
Cada muchacho necesita un modelo vivo
La comunicación del evangelio en el mundo actual
¿Es posible el hombre nuevo?
Hacia una sicología pastoral para los años 2000
Introdução à psicología pastoral
El ministerio del Espíritu Santo (inédita)